DÖRTLERİN İMZASI

THE SIGN OF FOUR

ARTHUR CONAN DOYLE

ÇEVİRMEN: FATİH KINALI

Dörtlerin İmzası / Arthur Conan Doyle
Özgün Adı / The Sign of Four
Sherlock Holmes Serisi No: 2

Genel Yayın Yönetmeni: Sinan Çetin

Editör: Uygar Karal
Yayına Hazırlayan: Taylan Barış Kızılöz
Çevirmen: Fatih Kınalı
Kapak Tasarım: Ali Murat Yılmaz
Sayfa Tasarım: Mustafa Görmez
Baskı: İdil Matbaası,
Davutpaşa Cad. Emirtaş Kazım Dinçol Sanayi Sitesi,
No: 81-19/20 Topkapı/İstanbul

1.Baskı: İstanbul, Kasım 2008
ISBN: 978-975-6381-44-1

Plato Film Yayınları
Akyol Caddesi Vişne Sokak 14/2 Cihangir / İstanbul
Telefon: (212) 252 45 83(pbx) Faks: (212) 249 35 84
yayin@platofilm.com

İÇİNDEKİLER

I. Bölüm

TÜMDENGELİM

Sherlock Holmes, şömine rafının köşesinde duran şişesini aldı ve zarif maroken çantasından şırıngasını çıkardı. Uzun, beyaz ve sinirli parmaklarıyla hassas enjektörü ayarladı, gömleğinin kollarını kıvırdı. Gözleri bir süre için sayısız dövmeyle bezeli, adaleli önkollarında ve güçlü bileklerinde gezindi. Nihayet şırıngayı batırdı, küçük pistonu ittirdi ve memnuniyetle uzun uzun içini çekerek, kadife kaplı sandalyesine oturdu, arkasına yaslandı.

Birkaç ay boyunca, günde üç kez bu sahneye bizzat tanık olmuştum fakat itiyat, yine de zihnimi buna razı edememişti. Bilakis, günden güne daha da sinirleniyordum ve vicdanım, bunu reddetmeye cesaretim olmadığı düşüncesinden ötürü sızlayıp duruyordu.

"Bugün ne," diye sordum, "morfin mi, kokain mi?"

Gözlerini okumakta olduğu eski, ciltli bir kara kitaptan kaldırırken,

"Kokain," dedi. "Yüzde yedilik bir çözelti. Denemek ister misin?"

"Hayır, asla," diye tersledim. "Bünyem daha Afgan seferini atlatabilmiş değil. Bunun üzerine herhangi bir ekstraya güç yetiremem."

Fevri çıkışıma gülümsedi. "Belki de haklısın, Watson," dedi. "Sanırım fiziksel olarak kötü bir etkisi var. Yine de bunu zihin için öylesine deneyüstü ve arıtıcı bir uyarıcı olarak görüyorum ki, ikincil etkileri göz ardı edilebilir."

"Fakat düşünün bir!" dedim ciddiyetle. "Hesap edin! Söylediğiniz gibi, beyniniz esrimiş ve heyecanlı olabilir, fakat bu, biyolojik dokunun değişimine sebebiyet veren patolojik ve marazi bir süreç; dolayısıyla, en azından kalıcı bir illet bırakır. Şunu da biliyorsunuz ki, çok kötü bir sonuçla karşılaşabilirsiniz. Kesinlikle buna değmez. Sadece geçici bir memnuniyet için, size önceden bağışlanmış bütün bu harika güçleri kaybetme riskini neden alasınız ki? Unutmayın; sadece bir arkadaş olarak konuşmuyorum sizinle, aynı zamanda bünyesine zarar veren bir insana nasihat eden tıbbi bir danışman olarak konuşuyorum."

Gücenmiş görünmüyordu. Bilakis, parmak uçlarını birleştirdi ve sohbetten zevk alan bir insan gibi, dirsekleri üzerine eğildi.

"Benim zihnim," dedi, "durgunlukta isyan eder. Bana problemler, bana işler verin, bana anlaşılması en güç kriptogramları getirin, yahut en girift analizleri buyurun ve kendime uygun bir havaya gireyim. O zaman suni uyarıcılardan vazgeçebilirim. Fakat gündelik hayatın tekdüzeliğinden iğreniyorum. Zihinsel bir vecd için kıvranıyorum. İşte tam da bu yüzden zaten kendi özel mesleğimdeyim. Yahut onu yarattım diyelim, çünkü bunu yapan tek kişi benim dünyada."

"Tek gayriresmi dedektif mi?" dedim, kaşlarımı kaldırarak.

"Tek gayriresmi danışman dedektif," diye cevapladı. "Araştırma ve keşfetme işindeki en son ve en yüksek mercii, benim. Gregson, Lestrade ya da Athelney Jones'u aşan derinliklerde –ki bu arada vasati bir derinliğe inerler- bir mesele benim önüme getirilir. Verileri bir uzman gibi inceler, bir uzman fikri bildiririm. Böyle durumlarda hiçbir şey talep etmem. Ayrıca hiçbir gazetede ismimi de göremezsiniz. İşin kendisi ve özel yeteneklerimi uygulamak için bir alan bulmuş olmanın verdiği memnuniyet, benim en büyük mükâfatımdır. Fakat sen, Jefferson Hope davasında bizzat tecrübe ettin zaten bazı yöntemlerimi."

"Evet, sahiden de," dedim içtenlikle. "Hayatımda hiçbir şey beni bu kadar çarpmamıştı. Hatta onu, 'Scarlet Üzerine Bir Çalışma' gibi biraz fantastik bir başlık altında, küçük bir kitapçıkta ölümsüzleştirmiştim."

Üzüntüyle salladı kafasını.

"Şöyle bir göz gezdirmiştim," dedi. "Dürüst olmak gerekirse, seni tebrik etmeliyim. Keşif, kesin bir bilimdir ve aynı soğuk, aynı duygusuz bir tavırla nakledilir, yahut edilmelidir. Sen biraz romantizm katmaya teşebbüs etmişsin, bir aşk hikâyesini veya aşığıyla kaçan bir kadının hikâyesini Öklit'in beşinci önermesiyle açıklar gibi anlatmışsın; aynı etkiyi yapmış."

"Ama orada aşk vardı," diye itiraz ettim. "Gerçekleri çarpıtamam ki."

"Bazı gerçekler bastırılmalıdır, ya da, en azından, ele alınırken belli bir ölçü gözetilmelidir. Meseledeki söz edilmeye değer tek nokta, sebep sonuç ilişkileri gözetilerek yapılan dikkatli ve titiz analitik uslamlamaydı, ki olayı da böylece çözmüştüm."

Onu memnun etmek için özellikle tasarladığım bu çalışma üzerine yaptığı eleştiriler canımı sıkmıştı. İtiraf etmeliyim ki, kitapçığımın her satırının onun yaptıklarını anlatması gerektiğini düşündüğü açıkça belli olan bencilliğine sinirlenmiştim. Baker Caddesi'nde onunla yaşadığım yıllar boyunca, sessiz ve didaktik tavrının altında saklı yatan kibri, çeşitli kereler gözlemlemiştim. Yine de hiç tepki vermedim, yaralı ayağımı sarmaya devam ettim. Bu bir süre önce aldığım bir Jezail kurşunu yarasıydı; her ne kadar yürümemi engellemese de, her hava değişiminde kesinlikle ağrıyordu.

"Bütün kıtayı kapladı yeteneğimin şöhreti," dedi Holmes bir süre sonra, eski piposunu tütünle doldururken. "Geçen hafta, muhtemelen senin de bildiğin gibi, son zamanlarda Fransız araştırma hizmetlerinde başı çeken Francois le Villard geldi danışmaya. Keltlerin o çabucak sezme gücü, onda da tamamıyla var; fakat sanatının daha yüksek evreleri için kesinlikle zaruri olacak geniş bilgi deryasına hâkimiyette yetersiz. Bir vasiyet davasıydı ve bazı yönlerden ilgi çekiciydi. Ona, birbirine paralel iki davaya bakmasını salık verdim: Biri 1857 yılında Riga'da, diğeri 1871 yılında St Louis'de –ki ona doğru çözümü öneren bu oldu. İşte, bu sabah aldığım, yardımlarıma şükranlarını ilettiği mektup."

Konuşurken, buruşturulmuş yabancı bir mektup kâğıdı uzattı bana. Şöyle bir baktım; gözlerim birçok hayranlık ibaresi, konuyla ilgisiz övgüler, kudret imleri ve bunun gibi, hepsi de Fransız adamın coşkulu hayranlığını kanıtlayan başka sözcüklere takıldı.

"Hocasıyla konuşan bir öğrenci gibi," dedim.

"Ah, benim yardımıma çok önem ve değer verir," dedi Sherlock Holmes. "Kendisinin önemli yetenekleri vardır. İdeal bir dedektifte bulunması gereken üç vasfın hilafsız ikisine sahiptir. Gözlem ve tümdengelim gücüne sahiptir. Sadece bilgiyi arzuluyor ve bu da zaman alır. Şimdi benim küçük eserlerimi Fransızcaya çeviriyor."

"Sizin eserleriniz?"

"Ah, bilmiyor muydun?" diye bağırdı, gülerek. "Evet, birkaç monografi yazmak gibi bir suç işledim. Hepsi de teknik konular üzerine. İşte, sözgelimi, biri burada: 'Muhtelif Tütünlerin Külleri Arasındaki Farklar Üzerine.' Bu kitapta, tam yüz kırk çeşit puro, sigara ve pipo tütününü birer birer sayıyor ve küllerdeki farklılığı yansıtan renkli tabakları anlatıyorum. Ceza davalarının çözülmesinde daima mühim bir rol sahibidir bu detay. Bazen de bir ipucu olarak müthiş önemli olabilir. Eğer sözgelimi, bir cinayetin Hint lunkahı içen bir adam tarafından işlendiğini kesinlikle söyleyebiliyorsanız, bu sizin araştırmanız gereken alanı gözle görülür ölçüde daraltacaktır. Eğitimli bir göz için, Trichinopoly*'nin siyah külleri ile kuşgözünün beyaz havı arasında, lahana ile patates arasındaki kadar fark vardır."

"Ufak ayrıntılar üzerinde yüksek bir deha sahibisiniz," dedim.

"Ehemmiyetlerini değerlendiriyorum. İşte, bu da ayakizleri üzerine yazdığım monografi, ayrıca bastığında kalan izi yok etsin diye kullanılan Paris plasteri üzerine birkaç not da ekledim. İşte, bu da ticarette elin şeklinin önemi üzerine yapılmış küçük ve titiz bir çalışma: Gemicilerin, mürettiplerin, dokumacıların, mücevhercilerin ellerinin litotipleriyle birlikte. Bu, bilimsel bir dedektife, özellikle de sahipsiz cesetlerde ya da cinayetlerin öncelerini keşfetme yeteneği üzerine gösterilen yoğun ilginin açıklaması. Ama sizi usandırdım hobilerimle."

"Hayır, hiç de değil," diye yanıtladım ciddiyetle. "Çok ilgimi çekiyor, özellikle de bu konudaki tatbiki çalışmala-

---

*Üretildiği yörenin adıyla anılan bir Hint sigarası

rınızı gözlemleme fırsatı bulduktan beridir. Ama henüz şimdi gözlem ve tümdengelimden bahsettiniz. Kuşkusuz biri, bazı boyutlarda diğerini kapsıyor."

"Pek sayılmaz," diye cevapladı, rahatça yaslandı arkasına ve piposundan kalın-mavi duman yuvarlakları çıkardı. "Örneğin, gözlem bana, sizin bu sabah Wigmore Caddesi Postanesi'nde olduğunuzu söylüyor ama tümdengelim bana siz oradayken bir telgraf çektiğiniz bilgisini veriyor."

"Doğru!" dedim. "İki konuda da haklısınız! Fakat itiraf etmeliyim ki bu noktaya nasıl vardığınızı anlamadım. Benim açımdan ani bir karardı ve kimseye bahsetmemiştim."

"Basitliği de burada ya zaten," dedi, şaşırdığıma kıkırdayarak – "o kadar basit ki, bir izahat gereksiz kalıyor; yine de gözlemin ve tümdengelimin sınırlarını tanımlamaya yardımcı olabilir. Gözlem bana ayakkabınızın üst bölgesinde küçük kırmızımtrak bir leke olduğunu söylüyor. Wigmore Caddesi Ofisinin tam karşısında, kaldırımı kazmışlar ve ortalığa biraz toprak saçılmış, öyle ki üzerine basmadan içeri girmek çok güç. Bildiğim kadarıyla civarda başka bir yerde bulunmayan toprak, bu tuhaf kırmızımtrak lekenin açıklaması. Buraya kadar gözlem. Gerisi tümdengelim."

"Pekâlâ, telgrafı yolladığım sonucuna nasıl vardınız?"

"Neden varmayayım. Elbette bir mektup yazmadığınızı biliyorum, çünkü bütün sabah karşınızda oturdum. Bunun yanında, açık masanızda bir parça pul ve kalın bir kartpostal yığını görmüşüm. Öyleyse, bir telgraf çekmek için değilse, başka niçin gitmiş olabilirsiniz ki postaneye?

Diğer bütün seçenekleri eleyin, geriye kalan hakikat olmalıdır."

"Bu durumda şüphesiz böyle," dedim biraz düşündükten sonra. "Ama sizin de dediğiniz gibi, bu en basitinden. Teorilerinizi daha zor bir sınava tabi tutsam, beni küstahlıkla itham etmezsiniz umarım?"

"Bilakis," dedi, "böyle bir lütuf, ikinci doz kokainden alıkoyar beni. Bana sunacağınız herhangi bir problem üzerine düşünmekten çok mutlu olacağım."

"Bir erkek için her gün kullandığı herhangi bir aletten, üzerinde eğitimli bir gözün okuyabileceği kendi şahsına özgü bir iz bırakmadan kurtulmasının zor olduğunu söylediğinizi işittim. Şimdi, bana daha yeni miras kalmış bir saatim var. Acaba, önceki sahibin alışkanlıkları ya da karakteri üzerinde bazı fikirler edinmeme yardımcı olabilme nezaketini gösterir miydiniz?"

Saatimi ona uzatırken, geçmesi imkânsız bir sınav önerdiğimi düşündüğümden ötürü, biraz da eğleniyordum, biraz da zaman zaman üstlendiği o dogmatik tavra karşılık bir ders olsun istiyordum. Saati elinde şöyle bir tarttı, kadranı çevirdi, arkasını açtı ve ilkin çıplak gözle, sonra da dışbükey bir mercekle işleyişini kontrol etti. Nihayet bitirip geri uzattığında, yılgın yüzünü görünce gülmemek için kendimi zor tuttum.

"Pek bir şey yok," dedi. "Henüz temizlenmiş, şüphelenebileceğim tek şey yok."

"Haklısınız," dedim. "Bana yollanmadan önce temizlenmiş."

İçimden, başarısızlığını örtmek için öne sürdüğü özürlerin çok güçsüz ve çok kusurlu olmasıyla itham ediyordum onu.

"Her ne kadar beklentileri karşılamasa da, araştırmam o kadar sonuçsuz değil," diyerek hülyalı, parıltısız gözlerini tavana dikti. "Yanılıyorsam düzeltin; saatin, ona babanızdan miras kalan ağabeyinize ait olduğunu söylemeliyim."

"Arkadaki H.W harflerinden çıkardınız bunu kuşkusuz?"

"Elbette. W harfi sizin isminizi çağrıştırsa da, saat neredeyse elli yıl öncesinin mamulü ve baş harfler de saat kadar eski olmalı: Son nesil için yapılmış. Mücevherat ekseriyetle yaşça büyük oğula miras kalır ve o da, babasının isminin aynını alır muhtemelen. Babanız, hatırladığım kadarıyla, öleli çok oluyor. O yüzden, ağabeyinizin ellerindeydi sizden önce."

"Buraya kadar doğru," dedim. "Başka?"

"Düzensiz itiyatları olan bir kimseymiş –çok düzensiz ve dikkatsiz bir hayat. Başarı şansı varmış ama eline geçen fırsatları harcamış, ara sıra kısa süreli refah dönemleriyle kesilen yoksulluklar yaşamış, nihayet içkiye vurmuş kendini, sonra da ölmüş. Bütün anladığım bu."

Sandalyeden fırladım ve kalbimde bir buruklukla odanın içinde sabırsızlıkla dolaşmaya başladım.

"Ne kadar bayağısınız, Holmes," dedim. "Bu kadar alçalabildiğinize inanamıyorum. Bedbaht ağabeyim hakkında tahkikatlar yapmışsınız, şimdi de gelmiş sonuçlarını hayalperest yöntemlerle keşfetmiş gibi davranıyorsunuz. Bütün bunları onun eski saatinden okuduğunuza inanmamı bekleyemezsiniz benden! Çok kırıcı ve düz konuşmak gerekirse, şarlatanlık!"

"Sevgili doktorum," dedi nezaketle, "lütfen özürlerimi kabul buyurun. Konuyu soyut bir problem olarak ele alınca, sizin açınızdan ne kadar kişisel ve aci verici olabileceğini göz ardı etmişim. Bunun yanında sizi temin ederim ki, bana saati uzatıncaya dek bir ağabeyiniz olduğundan bile haberim yoktu."

"Peki, öyleyse Tanrı aşkına, nereden öğrendiniz bütün bunları? Her cümle tam bir kesinlikle doğru."

"Ah, iyi şans. Olasılık denklemi diyebilirim sadece. Hepsinin bu kadar isabetli olmasını bekleyemezdim."

"Fakat sadece tahmin miydi?"

"Hayır, hayır; ben asla tahmin etmem. Kötü bir alışkanlıktır –zihinsel yetiler için zararlıdır tahmin. Size söylediklerim, benim düşünce çizgimi izlemediğiniz yahut büyük çıkarımlara varabilecek küçük gerçekleri gözden kaçırdığınız için tuhaf geliyor. Sözgelimi, ağabeyinizin dikkatsiz olduğunu söyleyerek başladım. Saatin alt kısmına baktığınızda sadece iki parçaya bölünmekle kalmadığını ve aynı cepte madeni paralar yahut anahtarlar gibi başka sert cisimleri taşımak alışkanlığından ötürü kesilip işaretlendiğini fark edersiniz. Elbette bin şilinlik bir saate bu kadar itinasız davranan bir adamın özensiz olduğunu teslim etmek büyük bir başarı sayılmaz. Ve yine kendisine miras kalan bu kadar kıymetli bir eşyaya böyle davranması diğer bakımlardan da söylediklerimi doğrular desem, çok uçuk bir çıkarsama sayamayız."

Muhakeme tarzını izlediğimi belli etmek için kafa salladım.

"Bir saat aldıklarında, kılıfın üzerinden etiketteki numaraları iğne ucuyla çizmek, İngiltere'de tefeciler için bir alışkanlıktır. Numaranın kaybolması ya da değişmesi riskine karşı bu yapılan, bir etiketten daha mantıklıdır. Kılıfın iç tarafında, merceğimle görebildiğim kadarıyla, bu izlerden en az dört tane var. Buradan da ağabeyinizin sık sık kötü duruma düştüğünü çıkartabiliriz. İkinci çıkarımımız da şu olur: Ya aniden gelen refah günleri, ya da saati geri almak için borcunu ödeyeceğine dair verilmiş bir teminat. Nihayet, iç tabağa bakmanızı istiyorum, anahtar deliğini içeren yere. Deliğin etrafındaki binlerce çiziğe bir bakın –anahtarın kaydığı yerdeki izler. Hangi ayık adamın anahtarı açmış olabilir bu yivleri? Fakat bir ayyaşın saatinde bunlardan hep vardır. Geceleyin çıkarır saatini ve titrek elleri bu izleri bırakır. Bütün bunlarda hani gizem? Esrarengiz olan ne?"

"Gün gibi açık," dedim. "Haksızlık ettim, pişmanım. Müthiş yeteneğinize inancım daha kuvvetli olmalıydı. Şu anda herhangi bir iş üzerinde olup olmadığınızı sorabilir miyim acaba?"

"Hayır, yok. Bu yüzden de kokain. Beyin çalışması olmadan yaşayamıyorum. Uğruna yaşamaya değer başka ne var? Burada, pencerenin önünde otur. Bu kadar kasvetli, sıkıcı, beyhude bir dünya olabilir mi? Sarı sislerin caddenin aşağısında savruluşunu ve siyah beyaz evlere sürüklenişini izle. Daha yavan, daha gerçek bir umutsuzluk var mı? Güçlere sahip olmanın ne faydası var doktor, şayet kişinin onları kullanacağı bir alan yoksa? Suç sıradan, varoluş sıradan ve hiçbir nitelik bu sıradan şeylerin yeryüzünde bir işlevi olmasını sağlayamıyor."

Bu veryansına cevap yetiştirmek için ağzımı açmak üzereydim ki, kapı çabuk vuruşlarla çalındı ve ev sahibemiz girdi, taşıdığı pirinç tepsinin üzerinde bir kart vardı.

"Genç bir bayan sizi görmek istiyor efendim," dedi, arkadaşıma.

“Bayan Mary Morstan,” dedi arkadaşım. “Hmm! Bu ismi hatırlamıyorum. Bayan Hudson, hanımefendiye gelmesini söyleyin. Gitmeyin, doktor. Kalmanızı tercih ederim.”

II. Bölüm

MESELE NEDİR?

Bayan Norstan kararlı adımlarla ve serinkanlı denilebilecek bir tavırla odaya girdi. Sarışın, genç bir bayandı; ufak ve narin bedenini saran giysiler, kusursuz bir beğeniyi belli ediyordu. Bununla birlikte, giysileri sade ve süssüzdü ki, kısıtlı servet telkiniyle taşıyordu bunları üzerinde. Elbise kesip düzeltilmemiş ve örülmemişti; kasvetli, griye kaçan bej rengindeydi ve ancak bir tarafındaki beyaz tüylerle rengi biraz ferahlayan aynı kasvetli tonda küçük bir başörtüsü vardı başında. Yüz çizgileri ne düzenliydi ne de karmaşık ve güzeldi, ama yüz ifadesi sevimli ve cana yakındı; büyük mavi gözlerinde ruhan bir hava vardı ve bakışları sempatikti. Birçok uluslardan ve üç ayrı kıtadan kadınlar hakkında edindiğim tecrübeyle, diyebilirim ki, bana daha kibar ve hassas tabiatlı görünen bir yüze hiç rastlamamıştım o ana dek. Sherlock Holmes'un onun için çektiği koltuğa otururken, dudaklarının kıpırdadığını, ellerinin titrediğini ve kadının yoğun bir içsel ajitasyon belirtisi olan her şeyi göstermekte olduğunu fark ettim.

"Size geldim Bay Holmes," dedi, "çünkü bir defasında işverenim Bayan Cecil Forrester'ı, küçük bir ev içi karışıklığı çözmek suretiyle onurlandırmıştınız. İyi yürekliliğiniz ve maharetinizden çok etkilenmişti."

"Bayan Cecil Forrester," diye tekrarladı arkadaşım düşünceli bir tavırla. "Sanırım ona küçük bir yardımım dokunmuştu. Bununla birlikte, hatırladığım kadarıyla çok basit bir konuydu."

"Kendisi öyle düşünmüyordu. Fakat zaten benim söylediklerimi söylemenizi bekleyemem. Şu anda içinde bulduğum şeyden daha tuhaf, daha muamma bir şeyi tahayyül bile edemiyorum."

Holmes ellerini ovuşturdu ve gözleri parıldadı. Aşırı yoğunlaşma sonucu yüzünde beliren net, atmaca suratını andırır ifadeyle sandalyesinde öne eğildi.

"Anlatın," dedi canlı bir sesle.

Durumumun biraz utandırıcı olduğunu fark etmiştim.

"Beni, umarım bağışlarsınız," dedim, sandalyemden kalkarken.

Bu sırada genç bayanın eldivenli elini uzatarak beni alıkoymasına çok şaşırdım.

"Eğer arkadaşınızsa," dedi, "durdurulması gerekecek kadar iyidir, benim için paha biçilmez bir hizmette bulunabilir."

Sandalyeme oturdum tekrar.

"Kısaca," dedi, "durumlar böyle. Babam bir Hint alayında subaydı, ben çok küçükken beni İngiltere'ye geri yollamıştı. Annem ölmüştü ve İngiltere'de hiç akrabam yoktu. Yine de, Edinburgh'taki rahat bir yatılı okula yerleştirildim ve on yedi yaşıma kadar orada kaldım. 1878 yılında, alayının başkumandanı olan babam, yıllık izin aldı ve yurda döndü. Bana Londra'dan, yurda sağ salim döndüğünü bildiren bir telgraf çekti. Bir an önce adresi olarak belirttiği Langham Oteli'ne gelmemi söylüyordu. Hatırladığım kadarıyla telgraf, iyi yürekli sevgi sözcükleriyle yazılmıştı. Londra'ya varınca, Langham'a gittim ve otel görevlileri bana Kumandan Morstan'ın orada kaldığını ama bir gece önce çıktığını ve henüz dönmediğini söylediler. Bütün gün hiçbir haber alamadan bekledim. O gece otel idarecisinin tavsiyesi üzerine polisle bağlantı kurdum ve ertesi sabah bütün gazetelere ilan verdik. Girişimlerimiz hiçbir işe yaramadı; o günden bugüne, talihsiz babamla ilgili tek kelime haber alamadık. Eve kalbi biraz huzur bulmak umuduyla dolu, biraz rahat bulmak için dönmüştü, ama başına gelene..."

Cümlesini yarıda kesen hıçkırığı tutmak istercesine elini boğazına götürdü.

"Tarih?" diye sordu Holmes, not defterini açarak.

"3 Aralık 1878 –neredeyse on yıl önce."

"Bavulu?"

"Otelde kaldı. İpucu olabilecek hiçbir şey yoktu içinde –birkaç elbise, birkaç kitap ve Andama Adaları ile ilgili göz ardı edilemeyecek kadar fazla tuhaf şey. Oradaki mahkûmlardan sorumlu subaylardan biriymiş sanırım."

"Şehirde hiç dostu var mıydı?"

"Sadece Binbaşı Sholto adında birini biliyoruz, onun alayından, Otuz Dördüncü Bombay Piyade Taburu'ndan. Binbaşı bir süre önce emekli olmuş ve Yukarı Norwood'da yaşamaya başlamıştı. Elbette onunla iletişim kurduk, fakat kendisinin subay olan kardeşinin İngiltere'de olduğundan bile haberi yoktu."

"Nadir rastlanır böylesi bir duruma," dedi Holmes.

"Henüz size en tuhaf bölümü anlatmadım. Altı yıl kadar önce –kesin tarih söylemek gerekirse 4 Mayıs 1882'de-Times gazetesinde Bayan Mary Morstan'ın adresini soran ve ortaya çıkmasının kendi yararına olacağını bildiren bir ilan yayımlandı. Altında ne bir adres vardı ne de bir isim.

Ben, tam da o günlerde Bayan Cecil Forrester'in ailesine mürebbiye olarak katılmıştım. Onun tavsiyesiyle, adresimi bu ilan sütununa postaladım. Aynı gün, açtığımda içinde çok büyük ve parlak bir inci bulunduğunu gördüğüm küçük bir mukavva paket ulaştı bana, posta aracılığıyla. Kutunun üzerinde yazılı hiçbir şey yoktu. O günden sonra her yıl aynı tarihte, içinde benzer bir inci bulunan bir kutu aldım. Bu kutuların üzerinde de gönderene dair hiçbir ipucu yoktu. Bir uzman, bu incilerin çok az bulunur ve epey kıymetli olduklarını söyledi. Gerçekten ne kadar güzel olduklarını kendiniz de görebilirsiniz."

Konuşurken düz bir kutuyu açtı ve bana daha önce gördüğüm inciler arasında rahatlıkla ilk altıya girecek altı inciyi gösterdi.

"Anlattıklarınız çok ilginç," dedi Sherlock Holmes. "Başka bir şey oldu mu?"

"Evet, tam da bugün bir mektup aldım. Zaten bu yüzden size geldim. Belki kendiniz okumak istersiniz."

"Teşekkürler," dedi Holmes. "Zarfı da alayım, lütfen. Gönderen damgası, S.W., Londra Tarih: 7 Haziran. Hmm. Adamın parmak izi var köşede –muhtemelen postacınındır. Birinci sınıf kâğıt. Altı sentlik zarflardan. Kırtasiyeye bakılırsa dikkate değer biri. Adres yok.

"Akşam saat 7'de, Lyceum Tiyatrosu'nun önündeki soldan üçüncü sütunun önünde olunuz. Şayet çekiniyorsanız, iki arkadaşınızı getirebilirsiniz. Talihsiz bir kadınsınız ve hak ettiğinizi alacaksınız. Polis çağırmayın. Çağırırsanız her şey boşa gider. Meçhul dostunuz.

Pekâlâ, gerçekten tatlı bir gizem! Ne yapmak niyetindesiniz, Bayan Morstan?"

"Benim size sormak istediğim de buydu."

"Öyleyse gideceğiz –siz ve ben- evet, Doktor Watson tam da üçüncü kişi. Habercimiz iki arkadaş diyor. Doktor ve ben daha önce birlikte çalışırdık."

"Peki, gelecek mi?" diye sordu, sesinde ve ifadesinde cazibe vardı.

"Eğer bir yardımım dokunursa," dedim hararetle, "gurur duyarım ve mutlu olurum."

"İkiniz de çok iyisiniz," dedi. "Münzevi bir yaşam sürüyorum ve danışabileceğim hiçbir arkadaşım yok. Saat altı gibi burada olursam, sanırım uygundur?"

"Daha geç kalmamalısınız ama," dedi Holmes. "Bununla birlikte, bir nokta var. İnci kutularının üzerindeki adresle aynı el yazısı mı bu?"

"İkisi de burada," dedi, yarım düzine kâğıdı gösterirken ederken.

"Kesinlikle örnek bir müşterisiniz. Doğru sezgileriniz var. Şimdi bir bakalım." Kâğıtları masanın üzerine yaydı ve her birine küçük oklar fırlatır gibi keskin bakışlar attı. "Mektup hariç, hepsi farklı ellerle yazılmış," dedi hemen. "Fakat yazarlık ile ilgili bir şey yok. Latin 'e' harfinin nasıl bastırılamaz olduğuna bir bakın ve şu 's' harfinin son kıvrımına. Kesinlikle aynı kişi. Boş yere umutlandırmak istemem, Bayan Morstan, ama bu el ile babanızın eli arasında bir benzerlik var mı?"

"Daha alakasız iki şey olamazdı."

"Ben de bunu duymayı umuyordum. Öyleyse, saat altıda sizi bekliyor olacağız. Lütfen kâğıtların bende kalmasına izin verin. O zamana dek meseleyi biraz kurcalayayım. Saat henüz üç buçuk. Görüşmek üzere."

"Hoşçakalın," dedi misafirimiz Fransızca ve ikimize de parlak, candan bakışlar atarken, inci kutusunu göğsüne bastırdı, aceleyle çıkıp gitti.

Camdan baktım; kadının gri örtüsü ve beyaz tüyüyle kasvetli kalabalığın içinde ufak bir leke gibi kalana dek çevik adımlarla caddenin aşağısına yürüyüşünü izledim.

"Ne çekici bir kadın!" dedim arkadaşıma dönerek.

Tekrar piposunu tutuştururken yarım kapalı gözleriyle baktı; arkasına yaslandı. "O mu?" dedi, ruhsuz bir tavırla, "Dikkat etmedim."

"Siz gerçek bir otomatsınız, bir hesap makinesi," diye bağırdım. "Yanlış anlamayın ama, bazı zamanlar insanlık dışı şeyler görüyorum sizde."

Kibarca gülümsedi.

"Birinci derecede önemli olan şudur ki," diye bağırdı, "kişisel niteliklerin muhakemenize önyargı katmasından sakınmalısınız. Benim için bir müşteri, sadece bir müşteridir, problemin içindeki bir etkendir. Duygusal vasıflar sağlıklı düşünmeye düşmandır. Sizi temin ederim ki, en çok kazandığını bildiğim kadın, sigorta paralarına konmak için üç küçük çocuğu zehirlemekten ötürü idam edilmişti ve tanışlarım arasındaki en mide bulandıran adam da Londralı fakirler için neredeyse çeyrek milyon harcayan bir hayırseverdi."

"Bu durumda, fakat..."

"Asla tahmin yapmam. Bir tahmin, kural çürütür. Daha önce hiç el yazısından karakter teşhisi üzerinde çalışmalarınız olmuş muydu? Bu adamın çiziktirmelerine ne anlam verirsiniz?"

"Okunaklı ve düzenli," diye cevapladım. "İş alışkanlıkları olan bir adam ve güçlü bir karakteri var."

Holmes kafasını salladı.

"Uzun harflere bakın," dedi. "Büyük harfleri hiç aşmıyorlar neredeyse. Bu 'd' harfi 'a' olabilir, şu 'I' harfi de bir 'l'. Karakterli adamlar her zaman için uzun harflerini farklılaştırırlar, bununla birlikte okunaksız yazabilirler. 'k' harfinde tereddüt, baş harflerinde ise özsaygı var. Şimdi çıkıyorum. Yapacak bazı işlerim var. Şu kitabı size önermeme izin verin –yazılmış en dikkate değer kitaplardan biridir. Winwood Reade'ın *İnsan Şehitliği*. Bir saat içinde dönerim."

Elime cildi alıp camın yanına oturdum ama düşüncelerim yazar hakkında mütalaa ediyor olmaktan çok uzaktı. Aklım sürekli misafirimize kaçıyordu –gülüşü, sesinin derin ve zengin tonu, hayatını kuşatan tuhaf gizemi. Babası kaybolduğunda eğer on yedi yaşında idiyse, şu anda yirmi yedi yaşında olmalıydı –sevimli bir yaş: Gençliğin mahcubiyetinin yittiği ve tecrübeyle biraz ciddiyetin geldiği bir yaş. Oturdum ve düşüncelere daldım, sonra da tehlikeli fikirler aklıma gelince, masama koşturdum ve öfkeyle son patoloji tezime daldım. Neydim ben? Tek bacağı aksak bir ordu cerrahı. Banka hesabım bacağımdan daha da zayıftı. Böyle şeyleri düşünmeye nasıl cüret edebiliyordum? O problemin bir parçası, meselenin bir bölümüydü; o kadar. Şayet geleceğim karanlıksa, elbette geleceğimle bir erkek gibi yüzleşmek, onu sadece hayal gücümün pembe zırvalarıyla parlatmaya çalışmaktan evlaydı.

III. Bölüm

BİR ÇÖZÜM ARAYIŞI

Holmes döndüğünde, saat beş buçuktu. İstekli ve atikti; şevkliydi; onda en siyah bunalımlarla sürekli yer değiştiren bir haleti ruhiye hâkimdi.

"Bu meselede öyle büyük bir gizem filan yok," dedi, onun için hazırladığım bir bardak çayı alırken, "elimizdekiler sadece tek bir açıklamaya götürüyor bizi."

"Ne! Çözdünüz mü yani şimdiden?"

"O kadar da değil aslında. Sadece birkaç anlamlı şey buldum. Ama çok anlamlı. Ayrıntılar eklenebilir. Times gazetesinin arşivini araştırırken, Yukarı Norwood'da yaşayan eski Otuz Dördüncü Bombay Piyade Taburu neferi şu Binbaşı Sholto'nun 1882 yılının yirmi sekiz Nisan günü öldüğünü öğrendim."

"Çok kalın kafalı olabilirim Holmes. Ama bunun neresi önemli, anlamadım."

"Anlamadınız mı? Beni şaşırtıyorsunuz. Yüzbaşı Morstan ortadan kayboluyor. Londra'da ziyaret etmiş olabileceği tek insan, Binbaşı Sholto. Binbaşı Sholto, onun Londra'da olduğundan bile haberinin olmadığını söylüyor. Dört yıl sonra Sholto ölüyor. Ölümünden sonraki bir hafta içinde, Yüzbaşı Morstan'ın kızı değerli bir hediye alıyor, bu her yıl tekrarlanıyor ve şimdi kendisini talihsiz bir kadın olarak tarif eden bir mektupla son buluyor. Babasının yoksunluğundan başka hangi talihsizlikten bahsediyor olabilir ki? Ayrıca Sholto'nun varisi bu hikâye hakkında bir şeyler bilip tazminatla telafi etmeye girişmek istememişse, niçin hediyeler Sholto'nun ölümünden hemen sonra gelmeye başlıyor? Verileri bağlayan alternatif bir teorin var mı?"

"Fakat çok tuhaf bir tazminat! Ve ne kadar garip bir şekilde ödeniyor! Peki öyleyse, niçin altı yıl önce yazmak varken, bugün yazıyor o mektubu? Üstelik mektup ona adaleti sağlayacağından bahsediyor; hangi adalet? Babasının halen hayatta olduğunu düşünmek fazla geniş bir hayal gücü olur. Başka da bir adaletsizlik bilmiyoruz müşterimiz hakkında."

"Zorluklar var, kesinlikle zorluklar var," dedi Sherlock Holmes dalgın bir halde, "ama bu geceki seferimiz hepsini çözecektir. Ah, işte bir araba: Bayan Morstan da içinde. Siz hazır mısınız? Öyleyse aşağı insek iyi olur, çünkü saati geçirmişiz bile."

Şapkamı ve en ağır bastonumu alırken Holmes'un çekmecesinden revolverini aldığını ve cebine koyduğunu gördüm. Bu geceki işimizin ciddi olabileceğini düşündüğü besbelliydi.

Bayan Morstan koyu bir pelerine sarınmıştı ve hassas yüzü narin ama solgundu. Şu anda üzerine eğildiğimiz konunun tuhaflığından tedirgin değilse, bir kadından fazlası olmalıydı; kendini kontrol edişi kusursuzdu ve Sherlock Holmes'un kendisine sorduğu birkaç ek soruyu seve seve yanıtladı.

"Binbaşı Sholto, babamın çok özel bir arkadaşıydı," dedi. "Mektupları binbaşıya dokundurmalarla doludur. O ve babam, Andama Adaları'ndaki askerlerin komutanlarıydılar, yani ikisi birlikte ağır bir işe atanmışlardı. Bu arada babamın masasında kimsenin anlayamadığı acayip bir kâğıt bulundu. En ufak bir önemi olduğunu sanmıyorum ya, sizin görmek isteyebileceğinizi düşündüm ve getirdim. İşte."

Holmes kâğıdı dikkatle açtı ve dizi üzerine güzelce yaydı. Sonra da çifte merceğiyle, müthiş bir özen göstererek her yerini inceledi.

"Yerli Hint üretimi bir kâğıt," dedi. "Bir zaman bir yere iğnelendiği olmuş. Üzerindeki diyagram, pek çok koridoru, salonu ve geçidi olan büyük bir yapının planının bir parçası. Bir noktada, kırmızı mürekkeple küçük bir çarpı işareti atılmış ve tam üzerine silinen kurşunkalemle 'soldan 3.37' yazılmış. Sol köşede, sanki kolları birbirine değen bir çizgi üzerindeki dört çarpı gibi tuhaf bir hiyeroglif var. Hemen yanına, çok sert ve kaba bir yazımla, 'Dörtlü: Jonathan Small, Mahomet Singh, Abdullah Khan, Dost Akbar' diye yazılmış. Hayır, sanırım bunun meseleyle ne gibi bir ilgisi olduğunu göremiyorum. Yine de apaçık önemli bir belge. Bir cüzdanda itina ile saklanmış; çünkü iki tarafı da aynı temizlikte."

"Zaten cüzdanında bulduk."

"Öyleyse iyi saklayın, Bayan Morstan, çünkü işimize yarayabilir. Bu meselenin ilkin tahmin ettiğimden daha derin ve karmaşık bir hale dönüşeceğinden şüphelenmeye başladım. Fikirlerimi gözden geçirmeliyim."

Arabanın içinde arkasına yaslandı; gerilen kaşlarını ve düşündüğü için dalgın bakan gözlerini görebiliyordum. Bayan Morstan ve ben, yolculuğumuz ve olası sonuçları üzerine alçak sesle söyleştik, fakat arkadaşımız yolculuğun sonuna dek kadar sessizliğini tam bir titizlikle muhafaza etti.

Bir Eylül akşamıydı ve saat henüz yedi olmamasına rağmen, sıkıcı bir gündü: çisentiyle gelen kesif bir sis kümesi, koca şehrin üzerine çöküyordu. Çamur rengi bulutlar, çamurlu sokaklar üzerine üzüntüyle sarktı. Sahil boyunca yanan lambalar vardı ama yayılan ışığın kuvvetsiz çemberler yayan sisli lekeleri, iğrenç kaldırımlarda parıldıyordu. Vitrinlerden gelen sarı ışıklar, buharlı, buğulu havayı deliyor ve kalabalık geçit boyunca kasvetli, parlak bir ışık yayıyordu. Bence, bu dar ışık huzmeleri boyunca hızla geçip giden bitimsiz çehrelerin geçit töreninde meşum ve hortlaksı bir şeyler vardı –üzgün ve mutlu yüzler, yılgın ve şen yüzler. Bütün insanlar gibi, karanlıktan ışığa sürükleniyor ve sonra bir kez daha karanlığa geçiyorlardı. Benim izlenimlerim değil mesele elbette; ama kasvetli, ağır akşam, bir de üzerimize aldığımız bu tuhaf görev, beni iyice germiş ve adamakıllı canımı sıkmıştı. Bayan Morstan'ın da aynı dertten mustarip olduğunu görebiliyordum. Holmes, tek başına, önemsiz şeylere müthiş önem atfedebiliyordu. Dizi üzerine not defterini açmıştı ve zaman zaman el fenerinin silik ışığında, bazı şekiller çiziktiriyordu.

Lyceum Tiyatrosu'nda, kalabalıklar çoktan girişleri işgal etmişti. Sonu gelmez iki tekerlekli arabalar ve faytonlar takırdayarak geçiyor, takılar takınmış şallı kadınlar ile beyefendilerin yüklerini indiriyorlardı. Belirlenen yere, üçüncü sütuna güçlükle vardık: Arabacı kıyafeti giymiş ufak tefek, esmer, çevik bir adam karşıladı bizi.

"Sizler, Bayan Morstan'ın grubu musunuz?" diye sordu.

"Ben Bayan Morstan; bu iki beyefendi de benim arkadaşlarımdır," dedi.

Adamın gözleri sonuna dek açıldı ve bu gözlerle bizi tepeden tırnağa süzdü.

"Beni bağışlayın hanımefendi," dedi inatçı ve kesin bir tavırla, "ama refakatçilerinizden hiçbirinin polis memuru olmadığı konusunda beni temin etmeniz gerekiyor: Söz veriniz."

"Kendi adıma söz veriyorum," dedi Bayan Morstan.

Tiz bir ıslık çaldı adam; bir Arabın şoförlüğünde dört tekerlikli bir fayton geldi ve adam kapıyı açtı. Bizler içeri girip otururken, az önce bizimle konuşan adam sandığı tutuyordu. Henüz binmiştik ki, şoför kırbacını vurdu ve müthiş bir hızla sisli caddelere dalıverdik.

Durum tuhaftı. Bilmediğimiz bir yere, bilmediğimiz bir iş için, bilmediğimiz bir kimse tarafından götürülüyorduk. Yine de davet, ya tam bir aldatmacaydı –kavranılamaz bir faraziye- ya da seyahatimizin önemli meselelerin çözümünü içerdiğini düşünmek için iyi bir sebebimiz vardı. Bayan Morstan'ın tavrı, her zamanki gibi kararlı ve makuldü. Afganistan'daki maceralarımdan arta kalan hatıralarla onu şaşırtmaya ve neşelendirmeye çalıştım ama doğrusunu söylemek gerekirse, kendim bizzat bu durumdan öyle heyecanlıydım ve yolculuğumuz konusunda öyle meraklıydım ki, bu halim hikâyelerime de sirayet etti. Bugüne dek, söylediğine göre ona ancak bir tane etkileyici anekdot anlatmışım: Gecenin köründe çadırımın içine bakan bir tüfek ve benim içinde kaplan yavrusu duran fıçıyı nasıl ona fırlattığımla ilgili bir öykücük. Nereye gittiğimiz konusunda bir fikrim vardı; ama çok geçmeden süratimiz, sis tabakası ve Londra hakkında sınırlı bilgilerimden ötürü, izimizi kaybettim ve çok uzun bir yolda gidiyor olduğumuzdan başka bir şey bilmez oldum. Sherlock Holmes asla hata yapmazdı, araba takırdayarak meydanlardan ve fazlasıyla dolambaçlı yollardan geçerken, devamlı isimleri fısıldayıp duruyordu.

"Rochester Row," diyordu. "Şimdi Vincent Meydanı. İşte Vauxhall Köprü Yolu'ndan geçiyoruz. Surrey tarafına yöneliyoruz görünüşe göre. Evet, sanırım. Şu anda köprüdeyiz. Nehrin ışıklarını yakalayabilirsiniz."

Thames Nehri'ne baktık ve şöyle bir yakaladık manzarayı: Lambalar parıldıyordu, su sessiz ve durgundu; fakat arabamız öyle hızlı ilerliyordu ki, biraz sonra diğer yakadaki caddeler labirentine dalmıştık bile tekrar.

"Wordsworth Yolu," diyordu arkadaşım. "Priory Yolu. Lark Hall Yolu. Stockwell Meydanı. Robert Caddesi. Sahilyolu. Araştırmamızın bizi pek de şık semtlere götürdüğü söylenemez doğrusu."

Sahiden de tekinsiz ve korku veren mahallelerdeydik. Donuk renkli tuğla evlerden oluşan uzun sıraların görüntüsünü, ancak köşedeki kamu binalarının cafcaflı parıltısı kurtarabiliyordu. Ardından iki katlı villaların sırası başlıyordu: Her birinin önünde küçük birer bahçe. Sonra tekrar yeni tuğla yapılardan oluşan bitmez bir sıra daha –dev şehrin buraya uzattığı canavar dokunaçları. Sonunda araba, yeni bir ev kümesinin üçüncü sırasındaki bir evin önünde durdu. Diğer evlerin hiçbirinde insanlar yaşamıyordu ve bizim önünde durduğumuz ev de, komşu evler kadar karanlıktı; mutfak camındaki tek bir pırıltı hariç. Gelgelelim, kapı biz çalar çalmaz bir Hintli hizmetçi tarafından derhal açıldı. Sarı bir sarık, beyaz renkli bol elbiseler, sarı bir kuşak. Üçüncü sınıf bir banliyö evinin alelade kapısı önünde duran bu doğulu figürde, tuhaf bir şekilde uygunsuz bir şeyler vardı.

"Sahip sizi bekliyor," dedi ve konuşur konuşmaz, içerideki bir odadan yüksek, buyurgan bir ses geldi.

"Onları bana getir, Khitmutgar," diyordu ses. "Doğruca bana getir onları."

IV. Bölüm

KEL KAFALI ADAMIN HİKÂYESİ

Basık ve dar bir geçitten inen Hintliyi izledik; loş ışıklı ve kötü döşenmiş bir yerdi burası. Sağda bir kapının önünde durduk, hizmetçi kapıyı itti ve kapı açıldı. Sarı ışığın parlaklığı yüzümüze vuruyordu ve ışığın olduğu yerde, oldukça büyük kafalı küçük bir adam oturuyordu; kafasını fırça gibi kıllar çevrelemişti ve bu kıllar kıpkırmızıydı. Kılların ortasından kel kafası parıldıyordu, tıpkı köknar ağaçlarıyla çevrili bir dağ gibi yükseliyordu kelliği. Ayağa kalkarken bileklerini hareket ettiriyordu ve yüz çizgileri mütemadiyen değişiyordu –bir gülüyor, bir kaş çatıyordu, ama bir an bile durgun değildi. Sarkık dudaklarının arasından sapsarı ve düzensiz dişleri gayet rahat görülebiliyordu. Sürekli yüzünün alt kısmını sıvazladığı elleriyle, belli etmeden dişlerini gizlemeye çalışıyordu. Göze batan kelliğine rağmen, genç biri izlenimi veriyordu. Aslına bakılırsa, otuzuncu yaşını yeni bitirmiş gibiydi.

"Hizmetçiniz, Bayan Morstan," diye yineliyordu sürekli, ince, tiz bir sesle. "Hizmetçiniz, beyefendiler. Lütfen küçük hücremi şereflendirin. Küçük bir yer, bayan, fakat kendi zevkimle döşenmiştir. Güney Londra'nın kurak çölünde bir sanat vahası."

Hepimiz de bizi davet ettiği dairenin görünüşünden şaşkınlığa düşmüştük. Bu berbat evin içi, birinci sınıf pirinçle inşa edilmiş elmas döşeli bir saray gibiydi. Duvarlarda en parlak ve pahalı perdeler, goblenler asılıydı; perdeler ileri geri hareket ederken, güzelim kakma resimleri yahut Doğuya özgü vazoları teşhir ediyordu. Kehribar halı siyahtı ve öyle yumuşak, öyle kalındı ki, üzerine basan ayak, yosun yatağına basıyormuş gibi, içine letafetle gömülüveriyordu. Serilmiş iki harika kaplan derisi, tıpkı köşedeki hasırın üzerinde duran kocaman nargile gibi, Doğunun lüksünü sergiliyordu. Gümüş bir güvercin şeklinde tasarlanmış lamba, tavandan neredeyse görünmeyecek kadar ince, altın bir telle odanın tam ortasına sarkıyordu. Yandıkça, havaya hafif ve aromatik bir koku salıyordu.

"Bay Thaddeus Sholto," dedi küçük adam, hala kımıldanıyor ve gülümsüyordu. "Benim adım bu. Siz Bayan Morstan, elbette. Ve bu beyefendiler de..."

"Bu Bay Sherlock Holmes, bu da Dr. Watson."

"Bir doktor, ha?" diye bağırdı adam, fazlasıyla heyecanlanmıştı. "Stetoskobunuz yanınızda mı? Sorabilir miyim –bir iyilik yapar mıydınız? Mitral kapakçığımda ciddi sorunlar var, eğer muayene edebilirseniz çok makbule geçer. Ben aortik diye tahmin ediyorum fakat mitral üzerine söyleyeceklerinizi dinlemeliyim."

Ricasını yerine getirerek kalbini dinledim ama bir ritim bozukluğu yoktu, sadece baştan ayağa ürperiyordu ve korkuyla esrimişti.

"Normal görünüyor," dedim. "Kaygılanacak bir şey yok."

"Tasalarımı bağışlayın, Bayan Morstan," dedi, neşeyle. "Çok mustaribim ve bu kapakçık meselesinden uzun zamandır şüpheleniyordum. Şüphelerimin gereksiz olduğunu duyunca rahatladım. Babanız, Bayan Morstan, eğer kalp kasları hususunda biraz daha titiz olabilseydi, şu anda yaşıyor olabilirdi."

Adamın suratına yumruğumu geçirebilirdim. Bu kadar hassas bir konuya böylesine hissiz, böylesine düşüncesizce girdiği için öylesine kızmıştım ki! Bayan Morstan oturdu; yüzü, dudaklarına dek kül rengine dönmüştü.

"Öldüğünü yüreğimde biliyordum," dedi.

"Size her türlü bilgiyi verebilirim," dedi adam, "ve dahası, size adaleti getirebilirim; ayrıca, Kardeş Bartholomew her ne dediyse, onu da yapabilirim. Refakatçilerinizin birazdan söyleyeceklerime ve yapacaklarıma şahit olmalarından çok memnunum. Üçümüz Kardeş Bartholomew'e cesur bir cephe alabiliriz. Ama lütfen aramıza yabancı almayalım –ne polis, ne memur. Her noktayı kimse karışmadan, aramızda, hepimizin de tatmin kalacağı şekilde çözebiliriz. Kardeş Bartholomew'e herhangi bir alenilikten daha çok sıkıntı verecek bir şey olamaz."

Alçak bir kanepeye oturdu ve sulu, zayıf mavi gözleriyle soru sorar gibi bize baktı.

"Kendi adıma şunu söyleyebilirim ki," dedi Holmes, "söylemeyi seçeceğiniz şeyler bende kalacak."

Ben de hemfikir olduğumu belirtmek için kafa salladım.

"Güzel! Çok güzel!" dedi. "Size bir bardak Chianti ikram edebilir miyim, Bayan Morstan? Ya da Tokay? Başka şarabım yok. Bir şişe açtırayım mı? Hayır mı? Pekâlâ, öyleyse, umut ederim ki tütün içimine bir itirazınız olmaz, doğu tütününün yatıştırıcı kokusuna? Biraz gerginim ve nargilem, eşsiz bir yatıştırıcıdır. Paha biçilmezdir."

Büyük çanağa ufak bir kor koydu ve duman, hortum süzgeci boyunca neşeyle fokurdadı. Üçümüz, yarım daire şeklinde oturmuştuk. Tuhaf, sarsak küçük adam, büyük, parıldayan kafasıyla orta yerde nargilesini tüttürürken, başlarımız öne eğik, yanaklarımız ellerimizdeydi.

"Sizinle bu görüşmeyi ayarlamayı ilk düşündüğümde," dedi, "doğrudan kendi adresimi de verebilirdim; gelgelelim, ricamı önemsemezsiniz ve yanınızda nahoş kimseler getirirsiniz diye çekindim. Bu yüzden, adamım Williams'ın ilkin sizi görebileceği böyle bir yolla randevu verme özgürlüğünü seçtim. Onun sağduyusuna güvenim tamdır ve şayet tatmin olmazsa, meseleyi daha ileri götürmemek için çeşitli yöntemleri vardır. Bu tedbirleri affedin, ama ben çekingen bir adamım ve ne kadar kibar zevklerim olsa da, bir polisten daha az estetik bir şey de zor bulunur doğrusu, değil mi? Katı materyalizmin her türlü tezahürüne karşı doğal bir hoşgörü eksiğim vardır. Avamla nadiren temas kurarım. Gördüğünüz gibi, etrafımdaki zarif havada ancak yaşayabiliyorum. Kendime sanatların lordu diyebilirim. Bu benim zaafım. Bu peyzaj hakiki bir Corot, her ne kadar bir uzman şunun Salvator Rosa olduğundan şüphe duyabilirse de, Bouguereau için söyleyecek pek fazla şeyi olmaz sanırım. Modern Fransız akımına yakın duruyorum."

"Beni bağışlayın Bay Sholto," dedi Bayan Morstan, "fakat sizin bana söylemek istediğiniz şeyleri öğrenmek için, sizin ricanız üzere buradayım. Saat çok geç ve görüşmenin olabildiğince kısa olmasını talep etmek durumundayım."

"En iyi ihtimalle bile biraz zaman alacaktır," dedi adam, "çünkü kuşkusuz Norwood'a gidip Kardeş Bartholomew'i görmek zorundayız. Hepimiz gidecek ve Kardeş Bartholomew'den daha fazlasını alabilmeyi deneyeceğiz. Bana, doğru görünen bu yolu seçtiğim için çok kızgın. Dün gece çok hararetli bir konuşma yaptım onunla. Öfkeli olduğunda ne kadar korkunç biri haline geldiğini tahmin edemezsiniz."

"Eğer Norwood'a gideceksek, bir an önce ilk adımı atsak iyi olur," diye atıldım.

"Güç iş," diye bağırdı. "Sizi ansızın huzuruna çıkarırsam, ne der bilemiyorum. Hayır, onunla ilişkimizin nasıl olduğunu anlatarak sizi hazırlamalıyım ilkin. Başlangıç olarak, bilgisiz sayılabileceğim bu hikâyede birkaç nokta olduğunu söylemek zorundayım. Ancak bildiğim kadarıyla anlatabilirim bunları size.

"Babam, tahmin etmişsinizdir, Binbaşı John Sholto, bir zamanlar Hint Ordusu'ndaydı. On bir yıl kadar önce emekliye ayrıldı ve Yukarı Norwood'daki Pondicherry Pansiyonu'nda yaşamaya başladı. Hindistan'da işleri iyi gidiyordu ve gelirken yanında hatırı sayılır miktarda para, değerli meraklarından bir koleksiyon ve yerli hizmetçilerden ibaret bir takım adam getirmişti. Kendine bir ev satın aldı ve müthiş bir lüks içinde yaşadı. İkiz kardeşim Bartholomew ve ben, onun iki çocuğuyduk. Başka çocuğu da yok zaten.

"Kumandan Morstan'ın ortadan kayboluşuyla yaşanan sansasyonu çok iyi hatırlıyorum. Ayrıntıları gazeteden okumuştuk ve onun, babamızın bir arkadaşı olduğunu bildiğimizden, onun yanında meseleyi rahatça konuşabiliyorduk. Nelerin yaşanmış olabileceğini konuştuğumuz bu tartışmalara, o da katılırdı. Bir an için bile, Arthur Morstan'ın yazgısının bütün sırlarını kendi göğsünde sakladığından şüphelenmedik.

"Bununla birlikte, bir tür gizemin, gerçek bir tehlikeyle babamızı tehdit ettiğini biliyorduk. Yalnız başına dışarı çıkmaktan çok korkuyordu, Pondicherry Pansiyonu'nda kalırken parayla tuttuğu hamal taklidi yapan iki koruma hiçbir zaman yanından ayrılmazdı. Sizi buraya getiren Williams, onlardan biriydi. Bir zamanlar İngiltere'nin hafif sıklet şampiyonuydu. Babamız bize hiçbir zaman korktuğunu söylemezdi ama tahta bacaklı adamlara aşırı tepki veriyordu. Bir keresinde revolverini çıkarıp, sipariş toplayan tahta bacaklı zararsız bir tacire ateş ettiği bile oldu. Olayı örtbas etmek için yüklü bir miktar para ödememiz gerekti. Kardeşim ve ben, bunu babamızın geçici evhamı diye yorduk, ama o zamandan beri gelişen olaylar fikrimizi değiştirdi.

"1882 yılının başında, babama Hindistan'dan kendisini fazlasıyla şaşırtan bir mektup geldi. Zarfı açtığında neredeyse kahvaltı masasına düşüp bayılacaktı, zaten o günden sonra da, kendisini ölüme götüren bir hastalığa yakalandı. Mektupta ne yazdığını asla öğrenemedik, ama elinde tuttuğunda gördüğüm kadarıyla kısa bir mektuptu ve kötü bir el yazısıyla yazılmıştı. Yıllarca dalak büyümesinden acı çekti ama son zamanlarda daha da kötüleşti ve Nisan ayının sonuna doğru, ondan umudu tamamen kesmemiz gerektiğini söylediler. Bizimle son bir konuşma yapmak istiyordu.

"Odasına girdiğimizde, başı yastıklarla desteklenmiş halde yatıyor ve zorlukla nefes alıyordu. Kapıyı kilitlememiz ve yatağının iki yanına oturmamız için yalvardı. Sonra ellerimizi tutarak hem çektiği acılardan hem de duygulandığından ötürü kötü çıkan sesiyle, bize dikkate değer bir konuşma yaptı. Bu konuşmayı size olabildiğince onun kullandığı sözcükleri kullanarak aktarmaya çalışacağım.

"Tek bir şey var," dedi, "bu çok önemli anlarda, aklıma takılan tek bir şey var. O da, zavallı Morstan'ın öksüzüne davranışım. Hayatım boyunca bana sıkıntı veren lanetli açgözlülüğüm, o kızcağızdan hazineyi saklamama sebep oldu, en azından onun olması gereken yarısını. Ve yine de bu meblağdan kendime hiç kullanmadım. Açgözlülük ne kör ve ne aptalca bir şeydir! Sadece sahip olmak hissi bana öylesine güzel geliyordu ki, başka biriyle paylaşmaya tahammül edemiyordum. Şu kinin şişesinin yanındaki inci tespihe bak. Ona yollamak için çıkardım ama bunu bile paylaşmaya tahammül edemedim. Sizler, oğullarım, Agra hazinesinden ona düşeni ona teslim edeceksiniz. Adaletle. Ama ben ölene dek, ona hiçbir şey yollamayın, inci tespihi bile. Nihayet, insan bu kadar kötü hasta olsa da, iyileşebilme ihtimali vardır."

"Size Morstan'ın nasıl öldüğünü anlatayım," diye devam etti. "Kalbi zayıftı, yıllarca çekti, ama hep gizli tuttu. Sadece ben biliyordum. Hindistan'da iken, o ve ben, dikkate değer olaylar silsilesinden sonra, önemli bir hazineye sahip olacak hale geldik. Ben hazineyi İngiltere'ye naklettirdim ve Morstan, vardığı gece, kendi payını talep etmek için doğrudan buraya gelecekti. Şu anda ölmüş olan yaşlı, sadık Lal Chowdar, İngiltere'ye geldiğinde onu istasyondan aldı. Morstan ve ben, hazinenin paylaşımı konusunda fikir ayrılığındaydık ve sert sözler sarf ettik birbirimize. Morstan, bir öfke nöbeti anında, sandalyesinden hışımla kalktı ve elini ansızın kalbine götürdüğünde, yüzü simsiyah kesilmişti. Arkaya devrildi ve hazine sandığının köşesine çarptı kafasını. Eğilip baktım: Ölmüştü!"

"Uzun süre öylece oturdum, ne yapmam gerektiğini düşündüm. Elbette ilkin yardım çağırmayı düşündüm, ama yapamazdım çünkü beni onun ölümünden sorumlu tutmak için her türlü kanıt vardı ortada. Bir tartışma esnasında, kafasından derin bir yara almış ve ölmüş gibi görünecekti. Ayrıca, hazine hakkında bazı şeyler ortaya dökülmeden, resmî bir ifade de verilemezdi, kaldı ki hazine meselesinin gizli kalmasını özellikle istiyordum. Bana, yeryüzündeki kimsenin onun nereye gittiğini bilmesine imkan olmadığını söyledi. Öyleyse bundan sonra bilmesine de gerek yoktu kimsenin."

"Hâlâ meseleyi zihnimde tartıyordum ki, kafamı kaldırınca odanın girişinde uşağım Lal Chowdar'ı gördüm. Fark ettirmeden odaya girdi ve kapıyı kilitledi. 'Korkmayın, sahip,' dedi, 'onu öldürdüğünüzü kimse bilmeyecek. Onu saklayalım, kim bulabilir?' 'Onu ben öldürmedim,' dedim. Lal Chowdar kafasını salladı ve gülümsedi. 'Hepsini duydum, sahip,' dedi, 'tartıştığınızı duydum ve darbenin sesini duydum. Ama mezar kadar dilsiz olacağım. Evdeki herkes uyuyor. Haydi, birlikte saklayıverelim onu.' Bu kadarı, karar vermeme yetti. Eğer kendi uşağım bile benim masumiyetime inanmıyorsa, jürideki on iki ahmak adamın önüne çıkıp suçsuz olduğumu kanıtlamayı nasıl umabilirdim? Lal Chowdar ve ben, o gece cesedi dışarı attık ve birkaç gün içinde tüm Londra gazeteleri Kumandan Morstan'ın gizemli kayboluşunu yazdı. Anlattıklarımdan ne kadar az suçum olduğunu anlayabilirsiniz. Günahım şu: Sadece cesedi değil, aynı zamanda hazineyi de sakladık ve kendi payımı sahiplendiğim kadar, Morstan'ın payını da sahiplendim. Bu yüzden, sizden adaleti sağlamanızı istiyorum. Şimdi yaklaşın bakalım. Getirin kulaklarınızı. Hazine şurada saklı: ...'

"O anda, yüz ifadesinde korkunç bir değişim oldu; gözleri vahşetle açıldı, çenesi düştü ve asla unutamayacağım bir sesle, 'Onu dışarı çıkarın! İsa aşkına, onu dışarı çıkarın!' diye bağırdı. İkimiz de, bakışlarının sabitlendiği arkamızdaki pencereye baktık. Karanlıktan çıkmış bir kelle, bize bakıyordu. Cama yaslanan beyaz burnunu görebiliyorduk. Sakallı, kıllı bir suratu; vahşi, acımasız gözler ve çatlatacak kadar yoğun, kötü bakışlar... Kardeşim ve ben cama koşturduk, ama adam gitmişti bile. Babamızın yanına geri döndüğümüzde, kafası yana düşmüştü, kalbi durmuştu."

"O gece bahçeyi aradık ama davetsiz misafirden hiçbir iz yoktu. Pencerenin tam altındaki çiçek tarhında görülebilen tek bir ayak izi hariç. Ama ize rağmen, bu vahşi, sert bakışlı suratı hayal gücümüzün icat ettiğine hükmettik. Bununla birlikte, çok geçmeden, etrafımızda bir sürü gizli ajan görmeye başladık; bu, adamın gerçekliğine daha çarpıcı bir kanıt oldu. Babamın yattığı odanın penceresi sabahleyin açık bulunmuştu, dolapları ve kutuları altüst edilmişti ve göğsünün üzerinde, kötü bir el yazısıyla üzerine 'Dörtlerin İmzası' yazılmış bir kâğıt parçası bulunmuştu. Bu ibare ne anlama geliyordu, ya da hangi gizli ziyaretçi buraya gelmişti; hiçbir zaman öğrenemedik. Bildiğimiz kadarıyla, her şey altüst edilmesine rağmen, babamızın hiçbir malı çalınmamıştı. Kardeşim ve ben, doğal olarak, bu özel ve tuhaf olayı, yaşadığı zaman zarfında babamızın yakasını bırakmayan korkuyla bağdaştırmıştık; gelgelelim bu olay bizim için bugün bile bir gizem olarak duruyor."

Küçük adam, nargilesinin közünü değiştirmek için biraz ara verdi ve sonra birkaç dakika boyunca, aralıksız fokurdattı durdu. Hepimiz, olağanüstü hikâyesine dikkat kesilmiştik. Babasının ölümünden bahsedildiği o kısa zaman zarfında, Bayan Morstan'ın rengi ölü gibi bembeyaz kesilmişti ve bir an için onun bayılacağından korkmuştum. Gelgelelim, masanın üzerindeki Venedik sürahisinden onun için sessizce doldurduğum bir bardak suyu içince kendine geldi. Sherlock Holmes, dalgın bir yüz ifadesiyle, sandalyesinde arkasına yaslandı ve gözkapakları, parıldayan gözlerini neredeyse tamamen örttü. Ona baktığımda, tam da bugün acı bir şekilde hayatın aleladeliğinden bahsettiğini düşünmeden edemiyordum. En azından burada, zekâsını en üst derecede zorlayacak bir problem vardı. Bay Thaddeus Sholto, hikâyesinin bıraktığı etkiyi izlemek için apaçık bir övünçle her birimize tek tek baktı ve sonra da fazlaca büyük nargilesinin dumanları arasından devam etti.

"Kardeşim ve ben," dedi, "tahmin etmiş olabileceğiniz üzere, babamın bahsettiği hazineden ötürü çok heyecanlanmıştık. Haftalarca ve aylarca, nerede olduğunu bilmeden, bahçenin her bir yanını kazdık ve araştırdık. Tam da sakladığı yeri söylerken öldüğünü düşünmek bizi çıldırtıyordu. Hazineden çıkardığı o inci tespihe bakınca, tüm hazinenin ihtişamını az çok hesaplayabiliyorduk. Bu inci tespih üzerinde, kardeşim Bartholomew ile bazı tartışmalarımız oldu. Kuşkusuz inciler çok kıymetliydi ve kardeşim onları paylaşmak istemiyordu, çünkü, aramızda kalsın, babamın açgözlülük hastalığının bir kısmı, kardeşimde de vardı. Eğer tespihi paylaşırsak, bunun dedikodulara sebebiyet verebileceğini ve başımızı belaya sokabileceğini söylüyordu. Onu ancak Bayan Morstan'ın adresini bulmaya ve belirli aralıklarla ona tek tek inciler yollamaya ikna edebildim; böylece, en azından, asla yoksul kalmayacaktı Bayan Morstan."

"Çok ince bir düşünce," dedi arkadaşımız, ciddi bir tavırla, "çok naziksiniz."

Küçük adam protesto edermiş gibi elini salladı."Sizin emanetçilerinizdik," dedi, "ben böyle bakıyordum, gelgelelim kardeşim Bartholomew tümüyle bu açıdan görmüyordu. Epey paramız vardı. Ben daha fazlasını istemiyordum. Bunun yanında, genç bir bayana böyle davranmak çok büyük kabalık olurdu. 'Le mauvais godt mene au crime.'* Fransızlar böyle şeyleri çok güzel halleder. Neyse, bu konudaki fikir ayrılığımız öyle büyüdü ki, sonunda ayrı yerlerde yaşamamızın en iyisi olacağına karar verdim ve Pondicherry Pansiyonu'ndan ayrıldım, yaşlı Khitmutgar'ı ve Williams'ı da yanıma aldım. Fakat dün, çok önemli bir olayın vuku bulduğunu öğrendim. Hazine bulunmuştu. Derhal Bayan Morstan ile irtibat kurdum ve bize de sadece Norwood'a gitmek ve payımızı istemek kalıyor. Dün gece kardeşim Bartholomew'e görüşlerimi bildirdim, yani hoş karşılamasa bile, en azından ziyaretçi bekliyor olacak."

Bay Thaddeus Sholto, konuşmasını bitirmişti. Lüks kanepesinde şöyle bir kımıldandı. Hepimiz sessizdik; üzerimize düşen gizemli vazifedeki yeni gelişmeler üzerine düşünüyorduk. İlk ayağa kalkan Holmes oldu:

"Baştan sona çok iyi yapmışsınız bayım," dedi. "Sizin için hâlâ karanlık olan noktalara ışık tutacak bazı bilgilerle tekrar uğrarız buraya muhtemelen, fakat Bayan Morstan'ın da biraz önce söylediği gibi, saat geç oldu ve en iyisi meseleyi hiç gecikmeden çözmek."

Yeni arkadaşımız nargilesinin borusunu toparladı ve bir perdenin arkasından astragan yakalı ve manşetli uzun paltosunu aldı. Gecenin aşırı havasızlığına rağmen bunu

---

*Kötü oyun suça götürür.

sıkıca giyindi ve kafasına da, kulakları örten puflarıyla tavşan derisinden bir şapka taktı; böylece artık devingen suratından başka hiçbir yeri görünmüyordu.

"Çok hassas bir bünyem var," dedi, koridoru geçerken. "Tam anlamıyla muhallebi gibiyim."

Arabamız dışarıda bekliyordu ve besbelli yapacağımız şey çok önceden tasarlanmıştı, çünkü biner binmez hareket ettik. Thaddeus Sholto tekerleklerin tıkırtısını bastıracak bir sesle sürekli olarak konuşuyordu.

"Bartholomew zeki biridir," diyordu. "Sizce hazinenin nerede olduğunu nasıl buldu? Evin içinde bir yerlerde olduğu sonucuna vardı, evin kübik zeminin her yerini taradı ve her karışı öyle bir ölçtü ki, bir inç bile ıskalamadı. Başka bazı şeylerle birlikte, evin yüksekliğinin yetmiş dört fit geldiğini buldu, ama ayrı ayrı odaların yüksekliğini ve aradaki her boşluğu da, canı çıkarcasına hesaplayınca, toplamın yetmiş fiti geçmediğini gördü. Dört fit eksikti. Kuşkusuz evin çatısında olacaktı bu eksik. En yüksek odanın alçı tavanında bir delik açtı ve başka bir tavanarası keşfetti: Gizlenmiş ve kimsenin bilmediği bir bölme. Tam ortada, iki kirişin arasında, hazine duruyordu. Deliğe kadar indirdi ve işte. Mücevherlerin en azından yarım milyon sterlin değerinde olduğunu söylüyor."

Bu büyük meblağı duyunca, hepimiz birbirimize dikkat kesilerek baktık. Bayan Morstan, eğer haklarını koruyabilirsek, yoksul bir mürebbiyelikten, İngiltere'nin en zengin varisliğine terfi edecekti. Böylesi haberlere sevinmek, kuşkusuz sadık arkadaşların işiydi, yine de utanarak itiraf etmeliyim ki bencillik ruhumu kuşatmıştı ve kalbim tersine dönmüştü. Tebrik niyetine birkaç anlamsız şey mırıldandım, sonra da kös kös oturdum; başım önüme düştü, yeni tanışımızın gevezeliklerine kulaklarımı tıkadım. Kendisi besbelli hastalık hastasıydı ve kafam başka yerde de olsa, ileri derecede belirtiler gösterdiğinin, bazılarını cüzdanında taşıdığı bir sürü kocakarı ilacı reçetesinden bahsettiğinin farkındaydım. Umarım o gece verdiğim cevaplardan hiçbirini hatırlamaz. Holmes, söylediklerimin bazılarına kulak misafiri olduğunu söylüyor: Adamı iki tabletten fazla hintyağı almanın müthiş tehlikelerine karşı uyarıyor ve ona yatıştırıcı olarak yüksek dozda striknin öneriyormuşum. Sonunda arabamız birdenbire durduğunda ve şoför koşarak kapıyı açmaya geldiğinde, kurtulmuş ve rahatlamıştım.

"Burası, Bayan Morstan, Pondicherry Pansiyonu," dedi Bay Thaddeus Sholto, hanımefendiye inmesi için elini uzatırken.

V. Bölüm

PONDICHERRY PANSİYONU TRAJEDİSİ

Maceranın bu geceki son aşamasına vardığımızda, saat neredeyse gecenin on biriydi. Arkamızdaki kocaman şehrin nemli sisinden kurtulmuştuk ve gece çok güzeldi. Batıdan beri ılık bir rüzgâr esiyor, kalın bulutlar gökyüzü boyunca yavaşça hareket ediyor, arada bir bulutların arasından yarım ay, yeryüzünü gözetliyordu. Belli bir mesafeye kadar görüş yeterince açıktı ama Thaddeus Sholto yolumuzu daha iyi aydınlatması için arabadan aldığı lambalardan birini önümüze tutuyordu.

Pondicherry Pansiyonu, kırık camlarla bezenmiş çok yüksek bir duvarla çevrili alanın ortasında kendi ayakları üzerinde duruyordu. Dar bir demir kapı, buranın tek girişiydi. Kılavuzumuz, bu kapıyı bir postacı gibi çaldı.

"Kim o?" diye bağırdı içeriden sevimsiz bir ses.

"Benim, McMurdo. Bu defa çalışımı tanıdın elbette."

Yakınan bir insan sesiyle birlikte, anahtarların kulak tırmalayan şıngırtısı duyuldu. Kapı yavaşça açıldı ve kısa boylu, sert görünüşlü bir adam göründü. Elinde tuttuğu fenerin sarı ışığı, parıldayan şüpheci gözlerini ve çıkıntılı suratını aydınlatıyordu.

"Siz miydiniz, Bay Thaddeus? Fakat diğerleri? Efendimden başka biri için emir almış değilim."

"Almadın mı, McMurdo? Beni şaşırtıyorsun! Dün gece kardeşime bazı arkadaşlarımı getireceğimi söylemiştim."

"Kendisi bugün odasından hiç çıkmadı Bay Thaddeus. Bana da bir şey buyurmadı. Kurallara bağlı kalmam gerektiğini çok iyi biliyorsunuz. Sizi içeri alabilirim ama arkadaşlarınız oldukları yerde durmak zorundalar."

Bu, beklenmedik bir engeldi. Thaddeus Sholto, şaşkın ve çaresiz bir ifadeyle bakıyordu adama.

"Çok kötüsün, McMurdo," dedi Sholto, insafsızca. "Eğer onlara kefil oluyorsam, bu sana yetmelidir. Burada genç bir bayan da var. Bu saatte caddenin ortasında bekleyemez."

"Ah, evet, McMurdo," diye bağırdı Sherlock Holmes cana yakın bir sesle. "Beni unutmuş olabileceğini sanmıyorum. Dört yıl önce Alison'un yerinde seninle üç round dövüşen amatörü hatırlamıyor olamazsın?"

"Hayır, Bay Sherlock Holmes!" diye kükredi ödüllü dövüşçü. "Tanrı aşkına! Sizi nasıl da çıkaramadım! Orada o kadar sessiz durmasaydınız ve bir adım atıp çeneme o meşhur kroşelerinizden birini patlatsaydınız, tek soru sormadan tanırdım sizi. Ah, yeteneklerini harcayan adam! İsteseydiniz çok daha yükseklere erişebilirdiniz."

"Görüyorsun ya Watson, eğer bu alanda başarısız olsam bile, yine de kapısı bana açık bilimsel meslekler var," dedi Holmes, gülerek. "Dostumuz bizi soğukta bırakmaz artık, eminim."

"İçeri girin bayım, içeri girin –siz ve arkadaşlarınız," diye cevapladı adam. "Çok üzgünüm Bay Thaddeus, ama emirler çok katı. İçeri almadan önce dostlarınızdan emin olmam gerekti."

İçeride, harabe yerlerden geçerek kocaman, kare şeklinde, alelade bir eve varan çakıllı bir yol uzanıyordu: ay ışığının aydınlattığı bir köşe ve tavanarasındaki odanın camı hariç, her yer gölgeler içindeydi. Evin dev varlığı, karanlık ve ölümsü sessizliğiyle, insanı ürpertiyordu. Thaddeus Sholto bile, onca rahatlığına rağmen, hasta görünüyordu. Fener elinde titriyor ve takırdıyordu.

"Anlayamıyorum," diyordu. "Bir yanlışlık olmalı. Bartholomew'e açık açık söyledim geleceğimizi, yine de penceresinde ışık yok. Ne yapmak gerek, bilmiyorum."

"Mekanını hep böyle mi korur?" diye sordu Holmes.

"Evet, babamın alışkanlıklarını izliyor. Bilirsiniz, sevilen oğul oydu ve bazen babamın ona, bana anlattığından çok şey anlattığını düşünürdüm. Ay ışığının vurduğu cam, Bartholomew'in. Çok aydınlık ama sanırım içeride ışık yok."

"Yok," dedi Holmes. "Ama kapının yanındaki küçük camda bir ışık pırıltısı görüyorum."

"Ah, orası kâhya kadının odası. Yaşlı Bayan Bernstone orada kalıyor. Aslında o bize anlatabilir. Ama belki de sizin için burada bir iki dakika beklemek sorun olmaz, çünkü hepimiz birlikte girersek, geleceğimizden de haberi yok, kadıncağız telaş eder. Fakat durun bir! Bu da neydi?"

Feneri kaldırdı ve eli titrediği için sallanan fener etrafımıza ışık daireleri yaydı. Bayan Morstan bileğimi yakaladı ve hepimiz, kalplerimiz çarpar halde kulak kesilmiş, bekliyorduk. Karanlık büyük evden, sessiz geceyi yararak, seslerin en üzgünü ve en acıklısı geliyordu; korkmuş bir kadının tiz, kulak tırmalayıcı iniltisi.

"Bayan Bernstone'dan başkası değil," dedi Sholto. "Evdeki tek kadın odur. Burada bekleyin. Bir dakika içinde dönerim."

Çabucak eve koşturdu ve kendine özgü vuruşuyla kapıyı çaldı. Uzun boylu, yaşlı kadını görebiliyorduk şimdi. Onu içeri alırken, onu gördüğüne ne kadar sevindiğini söylüyordu.

"Ah, Bay Thaddeus, efendim. Geldiğinize ne kadar sevindim! Ne kadar sevindim, Bay Thaddeus, efendim."

Kapı kapanana dek kadın sürekli tekrarladı bu sözleri. Sonra sesi azalarak dindi.

Rehberimiz feneri bize bırakmıştı. Holmes, yavaşça şöyle bir etrafı kolaçan etti; eve, sonra da yerleri işgal eden büyük çöp yığınlarına dikkatle baktı. Bayan Morstan ve ben, yan yana duruyorduk, eli elimdeydi. Şaşılacak kadar ince bir şey aşk; bugünden önce birbirini hiç görmemiş iki kişi, aralarında ne bir sözcük ne bir bakış ne de bir etkileşim olmuş iki kişiydik; şimdiyse, bela saatlerinde, ellerimiz içgüdüsel olarak birbirini aramıştı. Hayret etmiştim ilkin, ama sonra onunla flört etmek dünyanın en doğal şeyiymiş gibi geldi ve o zamandan beri bana sık sık anlattığı üzere, bana yönelişinde rahatlık ve korunma içgüdüsü de vardı. İki çocuk gibi birbirimizin ellerinden tutmuş, öylece duruyorduk ve etrafımızı kuşatan bütün karanlık şeylere rağmen, kalplerimizde huzur vardı.

"Ne acayip bir yer!" diyordu, etrafına bakarken.

"Sanki İngiltere'deki bütün köstebekler buraya salıverilmiş gibi. Maden arayıcılarının çalıştığı, Ballarat'ya yakın bir tepenin yamacında buna benzer bir şey görmüştüm."

"Ve aynı sebepten dolayı," dedi Holmes, "bunlar da hazine arayıcılarının izleri. Altı yıl boyunca aradıklarını unutmamalısınız. Yolların böyle oluşuna şaşmamak gerek."

Tam da bu sırada evin kapısı ansızın açıldı ve Thaddeus Sholto koşarak çıktı; ellerini ileri uzatmış, gözlerinde dehşet vardı.

"Bartholomew'e bir şeyler olmuş!" diye bağırıyordu. "Korkuyorum! Sinirlerim dayanamadı."

Gerçekten de korkudan ağlıyor gibiydi. Astragan yakalıktan fırlamış gibi duran kuvvetsiz ve devingen çehresi de, korkmuş bir çocuğun yüz ifadesine sahipti.

"Eve girelim," dedi Holmes hiç zaman kaybetmeden; kendinden emin, sert sesiyle.

"Evet, girin!" diye yalvarıyordu Thaddeus Sholto. "Sahiden de kimseyi idare edecek durumda değilim."

Hepimiz koridorun sol tarafında duran kâhya kadının odasına dek onu izledik. Yaşlı kadın korku dolu bakışlar ve durmak bilmez parmaklarıyla odada amaçsızca dolanıp duruyordu ama Bayan Morstan'ı görmesinin yatıştırıcı bir etkisi oldu.

"Tanrı sizi kutsasın, ne güzel bir yüzünüz var!" diye bağırdı isterik bir hıçkırıkla. "Sizi görmek bana iyi geldi. Ah, ama bugün çok yoruldum!"

Arkadaşımız ince, çalışmaktan aşınmış eliyle onu okşadı ve birkaç güzel söz mırıldandıktan sonra, genç kadının huzuru, diğerinin kansız yanaklarına yitirdiği renkleri geri verdi.

"Efendi kendisini odasına kilitledi ve bana cevap vermiyor," diyordu. "Bütün gün ondan haber almak için bekledim, çünkü yalnız kalmayı sever, ama bir saat önce artık bir terslik var diye düşündüm, anahtar deliğinden bakmak için kalktım gittim. Çıkmalısınız, Bay Thaddeus, çıkıp kendiniz bakmalısınız. On yıl boyunca Bay Bartholomew Sholto'yu neşeli gördüm, kederli gördüm, ama hiçbir zaman böyle bir suratla görmedim."

Sherlock Holmes lambayı aldı ve öne geçti, çünkü Thaddeus Sholto'nun dişleri takırdıyordu. Öylesine titriyordu ki, merdivenleri çıkarken koluna girmek zorunda kaldım, çünkü dizleri çözülmüş gibiydi. İki kat çıktık, Holmes cebinden merceğini çıkardı ve kat halısı niyetine serilmiş hasır örgü üzerindeki, bana sadece biçimsiz toz lekeleri gibi görünen bazı izleri dikkatle inceledi. Her adımını yavaşça atıyor, bir yandan feneri aşağıda tutuyor, sağına ve soluna delici keskinlikte dikkatli bakışlar yöneltiyordu. Bayan Morstan'ı, korkmuş kâhya kadınla birlikte aşağıda bırakmıştık.

Merdivenlerin üçüncü katı, biraz uzun, düz bir koridorla bitiyordu; koridorun sağ tarafında, üzerinde harikulade bir resim olan Hint işi bir duvar halısı vardı, sol tarafında da üç tane kapı. Holmes, aynı yavaş ve sistemli yürüyüşüyle devam etti, bu arada biz tam arkasındaydık, uzun siyah gölgelerimiz koridorun arkasına akıyordu. Aradığımız kapı, üçüncüsüydü. Holmes kapıyı çaldı, cevap gelmedi, sonra kapının kolunu indirdi ve açmak için zorladı. Kapı içeriden kilitlenmiş, güçlü ve geniş bir sürgüyle sürgülenmişti. Lambayı tam karşısına tuttuğumuzda, görebiliyorduk. Anahtar döndü, bununla birlikte, delik tamamen kapalı değildi. Sherlock Holmes eğildi ve anında tekrar ayağa kalktı, derin bir nefes aldı.

"Şeytani bir şey var burada, Watson," dedi, onu hiç bu kadar etkilenmiş görmemiştim. "Ne yapabilirsin buna?"

Deliğe eğilip baktım ve dehşetle geri çekildim. Ay ışığı odaya akıyordu ve yalancı, müphem bir aydınlık vardı. Bir kelle tam da bana bakıyor, sanki havada asılı kalmış gibi –çünkü aşağısı tamamen gölgeydi- öylece duruyordu. Arkadaşımız Thaddeus'un yüzünün aynısı. Aynı geniş alın, aynı parıldayan kırmızı kıllarla çevrelenmiş kafa, aynı kansız sima. Bununla birlikte, yüz çizgileri, korkunç bir tebessümle, sabit ve gayritabiî bir sırıtışla değişmişti. Öyle ki, ay ışığıyla aydınlanan bu odada, bir kaş çatmasından yahut yüzün buruşmasından çok daha fazla tesir ediyordu sinirlere. Sonra aklıma ikisinin ikiz kardeşler olduğu geldi.

"Korkunç!" dedim Holmes'a. "Ne yapacağız?"

"Kapı kırılacak," dedi. Sonra da bütün gücünü vererek dayandı.

Kapı gıcırdadı ve inildedi, ama teslim olmadı. Hep beraber bir kez daha abandık ve bu defa, ani bir çöküşle açılınca, kendimizi Bartholomew Sholto'nun odasında bulduk.

Bir kimya laboratuarı gibi görünüyordu. Kapının karşısındaki duvarda iki sıra tıpalı cam şişe vardı. Masa; Bunsen ocaklarıyla, deney tüpleriyle, karnilerle doluydu. Köşelerde, ince dallardan örülmüş sepetlerin içinde, asit damacanaları vardı. Bunlardan biri çatlak ya da kırık olmalıydı, çünkü siyah renkli bir sıvı azar azar geliyordu oradan. Ve odanın ağır havasında, acayip şekilde keskin, kekremsi bir koku vardı. Odanın bir tarafındaki bağdadi kaplama bir sedyenin ortasında, bir merdiven duruyordu ve bu merdivenin basamakları üstünde, tavana açılan, bir insanın geçebileceği genişlikte bir çıkış vardı. Merdivenin ayağına uzun bir ip, gelişigüzel bırakılmıştı.

Masanın yanındaki tahta koltukta, evin efendisi, kafası sol omzuna düşmüş, yüzünde o korkunç ve esrarengiz tebessümle, bütün o yığının ortasında oturuyordu. Kaskatıydı ve soğuktu; öleli epey olmuştu, besbelli. Bana, sadece yüz çizgileri değil, aynı zamanda bütün organları da çarpılmış ve en akıl almaz hallerini almış gibi geldi. Masanın üzerinde, elinin yanında, özel bir araç vardı –kahverengi, sık damarlı bir baston. Kaba bükümlerinin bittiği yerde çekiç gibi bir taş başlığı vardı. Hemen yanında, üzerine bazı sözcükler çiziktirilmiş bir not kâğıdı. Holmes baktı, sonra da bana uzattı.

"Görüyorsun ya," dedi, kaşlarını epeyce kaldırarak.

Fenerin ışığında, dehşet içinde okudum kâğıtta yazanı: "Dörtlerin imzası."

"Tanrı aşkına, bütün bunlar da ne demek?" diye sordum.

"Cinayet demek," dedi, ölü adamın üzerine eğilerek. "Ah, tahmin etmiştim. Şuna bak!"

Uzun, koyu bir dikene benzeyen o şeyi gösterdi; adamın kulağının tam üstünde duruyordu.

"Bir dikene benziyor," dedim.

"Öyle. Alabilirsin. Ama dikkat et, zehirli olabilir çünkü."

Başparmak ve işaret parmağım arasına sıkıştırdım, aldım. Tene öyle kolaylıkla girmişti ki, hiç iz bırakmadı. Ufacık bir kan damlası, deliğin nerede olduğunu gösterdi.

"Çözülmez bir gizem gibi görünüyor bütün bunlar bana," dedim. "Aydınlanacağı yerde gitgide daha da karanlıklaşıyor."

"Bilâkis," dedi Sherlock Holmes, "her an daha da aydınlanıyor. Her şeyi bütünüyle birbirine bağlamak için eksik birkaç parça kaldı sadece."

Odaya girdiğimizden beri arkadaşımızı neredeyse tamamen unutmuştuk. Hâlâ kapıda duruyor, dehşet içinde, ellerini burarak kendi kendine inliyordu. Ansızın keskin, aksi bir çığlık koyuverdi.

"Hazine gitti!" dedi. "Hazineyi çaldılar ondan! İşte, çatıda açtığımız delik. Yapması için ben yardım etmiştim! Onu gören kişi bendim! Dün gece burada bıraktım onu, aşağı inerken de kapıyı kilitlediğini duydum."

"Saat kaçtı?"

"On. Şimdi de ölü. Polis gelecek. Benim parmağım olduğundan şüphelenecekler. Ah, evet. Kesinlikle. Ama siz böyle düşünmüyorsunuz değil mi, baylar? Benim olduğumu düşünmüyorsunuz değil mi? Ben olsam sizi buraya getirir miydim? Ah, Tanrım, Tanrım, Tanrım! Çıldıracağım!"

Kollarını sallayarak ayaklandı, devingen bir çılgınlıkla.

"Korkmanız için hiçbir sebep yok, Bay Sholto," dedi Holmes, nazikçe, elini omzuna koyarak. "Tavsiyemi dinleyin ve meseleyi polise haber vermek için merkeze gidin. Onlara her konuda yardımcı olmayı teklif edin. Siz gelene dek burada bekleyeceğiz."

Küçük adam, sersemlemiş halde, söylenene uydu. Merdivenlerden inerken, karanlıkta yankılanan ayak seslerini duyduk.

VI. Bölüm

SHERLOCK HOLMES'TEN BİR İSPAT

"Şimdi, Watson," dedi Holmes, ellerini ovuşturarak, "yarım saatimiz var. İyi kullanmaya bakalım. Dediğim gibi, ben neredeyse olayı çözdüm, ama aşırı özgüven insana hata yaptırabilir. Mesele ne kadar basit görünse de, altında başka şeyler var olabilir."

"Basit mi?" diye bağırdım.

"Elbette," dedi, sınıfına açıklama yapan umursamaz bir profesör edasıyla. "Şuraya, köşeye otur, ayakizlerin işimizi iyice zorlaştırmasın. Başlayalım! İlkin, bu insanlar nasıl geldi ve nasıl gittiler? Kapı dünden beri açılmamış. Ya pencere?" Feneri kaldırdı ve pencereye tuttu, bu sırada mırıldanıyordu ama söylediklerini benden ziyade kendisine söylüyor gibiydi. "Pencere içeriden kapatılmış. Çerçeve sağlam. Zorlama yok. Açalım. Yakınlardan su borusu filan da geçmiyor. Çatı, ulaşabilmek için fazla yüksek. Yine de bir insan pencereye tırmanabilir. Dün gece biraz yağmur yağmıştı. İşte, pervazda çamurlu bir ayak izi. Ve burada daire şeklinde bir çamur izi daha, işte yerde de aynı iz ve burada, masanın yanında da. Buraya bak, Watson! Tam bir kanıt."

Yuvarlağa baktım, belirgin izler.

"Bu bir ayak izi değil," dedim.

"Bizim için daha değerli bir şey. Bir kütüğe benziyor.

Pencere denizliğindekinin bir çizme izi olduğunu görüyorsun; büyük metal ökçeli ağır bir çizme. Yanında da, bir kütük izi."

"Tahta bacaklı bir adam!"

"Aynen öyle. Ama başka biri daha olmalı –gayet kabiliyetli ve etkili bir yardımcı. Bu duvara tırmanabilir misiniz doktor?"

Açık pencereden dışarı baktım. Ay ışığı evin bu tarafını aydınlatmaya devam ediyordu. Yerden rahat bir altmış fit yüksekteydik ve baktığım yerde ne bir ayak basacak yer ne de tuğlalarda bir çatlak vardı.

"Kesinlikle imkânsız," dedim.

"Yardım olmadan, öyle. Ama buradan size, aşağı, şu köşede gördüğünüz ipi atan bir arkadaşınız olduğunu düşünün, duvardaki bu büyük çengele takıyor ve sonuna kadar burada bekliyor. Sonra, diyorum ki, eğer etkin bir kişiyseniz, tahta bacağınızla da çıkabilirsiniz. Elbette aynı şekilde çıkarsınız, dostunuz da bir yandan ipi çeker, çengelden çıkarır, pencereyi kapatır, içeriden kilitler ve geldiği gibi gider. Küçük bir nokta," diye devam etti, ipe dokunarak, "tahta bacaklı arkadaşımız, iyi bir tırmanıcı olsa bile, elleri nasırlı profesyonel bir gemici değil. Merceklerimle tetkik ettiğim kadarıyla, birden fazla kan izi var, özellikle de ipin sonunda, yani anladığım kadarıyla, elinden hızla kayıp derisini yırtmış olması gereken yerde."

"Hepsi çok iyi de," dedim, "işler gitgide anlaşılmaz bir hal alıyor. Gizemli dostumuz da kim? Odaya nasıl girdi?"

"Evet, dostumuz!" dedi Holmes, düşünceli. "Bu dostla ilgili merak uyandaran bazı noktalar var. Biraz havada kalıyor. Dostumuzun bu ülkedeki suç tarihine yeni bir açılım getirdiğini zannediyorum. Her ne kadar paralel tarz suçlar Hindistan ve hafızam yanıltmıyorsa, Senegambiya*'da vuku bulmuş olsa da..."

"Nasıl geldi öyleyse?" diye tekrarladım. "Kapı kilitliydi, pencereye erişemezdi. Bacadan mı girdi?"

"Izgara fazla küçük," dedi. "Bu ihtimali düşünmüştüm."

"Nasıl öyleyse," diye diretiyordum.

"İlkelerimi uygulamıyorsun," dedi, kafasını sallayarak. "Sana kaç kere söyledim, imkânsız olanları elersen, arta kalan, ihtimal dışı bile olsa, hakikattir. Kapıdan, camdan ya da bacadan girmediğini biliyoruz. Odada gizlenmediğini de biliyoruz, çünkü gizlenebileceği bir yer yok. Öyleyse nereden geldi?"

"Çatıdaki delikten!" diye bağırdım.

"Elbette. Öyle yapmış olmalı. Eğer lambayı benim için tutma nezaketi gösterirseniz; araştırmalarımızı yukarı doğru genişletmek niyetindeyim –hazinenin bulunduğu gizli odaya."

Merdivenleri çıktı ve çatı kirişini iki eliyle kavradı, sonra da kendini yukarı, tavanarasına çekti. Ardından yüzüstü uzanarak, lambayı almak için elini uzattı ve onu izlemem için bana tuttu.

Şimdi içinde bulunduğu oda, bir tarafı on fit, diğer tarafı altı fit boyutundaydı. Tavan kirişlerle şekillenmişti, araları bağdadi kaplamaydı. Öyle ki, kişi yürümek için kirişten kirişe atlamak zorundaydı. Tavan, evin asıl çatısının içi olduğu besbelli bir yerde, doruk yapıyordu. Herhangi bir mobilya yoktu ve yerde, yıllarca birikmiş gibi kalın bir toz katmanı vardı.

---

*Senegambiya: Batı Afrika ülkelerinden Senegal ve Gambia tarafından oluşturulan konfederasyon. 1989 yılında dağıldı

"İşte, görüyorsunuz," dedi Sherlock Holmes, elini eğimli duvara koyarak. "Burada çatıya açılan kapak şeklinde bir kapı var. İterek açabiliyorum ve az bir eğimle, işte çatı. Öyleyse dostumuz buradan gelmiş. Bakalım onunla ilgili başka izler bulabilecek miyiz?"

Lambayı aşağı uzattı ve bunu yapınca, o gece ikinci kez yüzünde şaşkın, irkilmiş bir ifade gördüm. Onun bakışlarını görünce, itiraf etmem gerekir ki, elbiselerim içindeki tenim ürperdi. Zemin, çıplak bir ayağın izleriyle doluydu –apaçık, besbelli, şekli kusursuz izler. Ama sıradan bir adamın ayak ölçüsünün yarısı.

"Holmes," dedim fısıldayarak, "bu berbat şeyi bir çocuk yapmış."

Bir anda kendine gelmiş gibi,

"Ansızın çok şaşırdım," dedi, "ama çok doğal. Hafızam beni yanılttı, yoksa bunu daha önceden de söyleyebilirdim. Burada öğrenecek başka bir şey yok. Aşağı inelim."

"Peki, bu ayakizleri için söyleyeceklerin?" diye sordum istekle, tekrar aşağıdaki odaya inince.

"Canım Watson, biraz da kendin düşün," dedi sabırsızlıkla. "Yöntemlerimi biliyorsun. Uygula. Sonuçları eşleştirince, öğretici olacak."

"Gerçeklerle örtüşen herhangi bir şey düşünemiyorum," dedim.

"Çok yakında apaçık bileceksin," dedi düşünmeden. "Burada başka önemli bir şey olduğunu sanmıyorum ama yine de bakacağım."

Mercekleriyle bir mezura çıkardı ve odanın içinde, dizleri üstünde çabuk hareketlerle, ölçmeye, karşılaştırmaya, incelemeye başladı. Uzun ve ince burnu, tahtalardan sadece birkaç inç uzaktaydı ve boncuk gözleri, bir kuşun gözleri gibi derinden parıldıyordu. Süratli, sessiz ve sinsiydi hareketleri; koku almış eğitimli bir tazısınınki gibiydi. Öyle ki, şayet enerjisini ve zekâsını, yasaları savunmak yerine onlara karşı kullansaydı ne muhteşem bir suçlu olurdu diye düşünmekten alamıyordum kendimi. Böylece çalışırken, sürekli kendi kendine mırıldanmayı da sürdürüyordu, sonunda yüksek sesli bir memnuniyet çığlığıyla bitirdi işini.

"Kesinlikle şanslıyız," dedi. "Şimdi başımızdaki belalar azaldı. Dostumuzun başına, katran ruhuna basmak gibi bir talihsizlik gelmiş. Bu kötü kokulu pisliğin bu tarafında küçük ayak izinin çizgilerini görebilirsin. Gördüğün gibi kırık damacanadan biraz katran ruhu sızmış."

"Öyleyse?" diye sordum.

"Öyleyse, onu yakaladık, hepsi bu," dedi. "Bu izi cehennemin dibine kadar kovalayacak bir köpek biliyorum. Eğer bir sürü, bir yöre boyunca bir ringa balığının izini sürebiliyorsa, özel eğitimli bir av köpeği bunun kadar keskin bir kokuyu ne kadar uzağa kadar takip edebilir, düşünsene. Cevap bize –Ama bir dakika. Merhaba! İşte yasaların yetkili temsilcileri de geldi."

Aşağıdan sert adımlar ve gürültülü sesler işitilebiliyordu ve koridorun kapısı sertçe çarpılarak örtüldü.

"Onlar gelmeden önce," dedi Holmes, "lütfen bu zavallı adamın koluna ve buraya, bacağına elini koyar mısın? Ne düşünüyorsun?"

"Adaleler tahta kadar sağlam," dedim.

"Elbette. Aşırı yoğunlaşma durumundalar, alışıldık ölü sertliğinden bile daha sertler şu anda. Bu yüz ifadesiyle, Hipokratik tebessümle, ya da eski yazarların dediği gibi, *risus sardonicus** ile, zihninde nasıl bir intiba uyandırıyor?"

"Çok güçlü bitkisel bir alkaloitten ölmüş gibi," dedim, "kazıklıhumma üretecek kargabüken tarzı bir iksirden ölmüş gibi."

"Yüzünün gerilmiş kaslarını gördüğüm anda aklıma gelen fikir de tam olarak buydu. Odaya girer girmez, derhal zehirin vücuduna zerk edildiği bir şey aradım. Gördüğün gibi, kafa derisine, pek de fazla güç uygulanmadan sokulan bir diken buldum. İçeri giren tarafının, şayet adam sandalyesinde dik dursa, tavandaki deliğe bakacağını görmüş olmalısın. Şimdi, bu dikeni incele."

Dikeni dikkatle elime aldım ve lambanın ışığına tuttum. Uzun, keskin ve siyah bir dikendi; sanki zamklı bir madde sürülmüş ve üzerinde kurumuş gibi, bir tarafı sertleşmişti. Kör tarafı kırpılmış ve bir bıçak yardımıyla yuvarlanmıştı.

"Bir İngiliz dikeni mi?" diye sordu.

"Kesinlikle hayır."

"Bütün bu bilgilerle, bazı çıkarımlarda bulunmuş olabilmen gerekiyor. Ama işte yetkililer de geldi, yardımcı güçler artık geri çekilebilir."

O konuşadursun, gitgide daha yakından gelmeye başlayan ayak sesleri koridorda yankılandı ve gri takım elbise içinde gayet şişman, iri kıyım bir adam, odaya uzun adımlarla girdi. Yüzü kırmızıydı, tombuldu, kanlı canlıydı; şişkin göz torbaları içinden bakan çok küçük gözleri parıldıyordu. Hemen arkasında, hâlâ tir tir titreyen Thaddeus Sholto ile birlikte, üniformalar içinde bir müfettiş vardı.

---

*Şeytan gülümsemesi. Hasta sürekli sırıtıyor gibi durduğu için tetanos hastalığının son döneminde meydana gelen yüz kasılmasına verilen isim.

"İşte bir görev!" diye bağırdı, boğuk bir sesle. "İşte güzel bir iş! Ama bunlar da kim? Neden bu ev tavşan mahallesi gibi?"

"Sanırım beni hatırlıyorsunuz, Bay Athelny Hones," dedi Holmes, sessizce.

"Ah, elbette!" diye hırıldadı beriki. "Kuramcı Sherlock Holmes. Hatırladım! Bishopgate mücevherleri davasında bize sebepler, çıkarımlar ve sonuçlar üzerine verdiğiniz dersi nasıl unutabilirim. Bizi doğru iz üstüne sürdüğünüz su götürmez; ama kendiniz şimdi bunun iyi bir rehberlikten ziyade iyi şansla olduğunu biliyorsunuzdur."

"Basit bir muhakemeydi."

"Ah, hadi, hadi ama! Övünmekten utanmayın. Ama bütün bunlar da ne? Kötü iş. Kötü iş. Katı gerçekler –teorilere yer yok. Başka bir dava için yine Norwood'a düşmem ne baht! Haber geldiğinde istasyondaydım. Bu adamın ölüm sebebinin ne olduğunu düşünüyorsunuz?"

"Üzerine teori kuramayacağım bir mesele," dedi Holmes kuru bir sesle.

"Hayır, hayır. Yine de, bazı zamanlar meseleyi püf noktasından yakaladığınızı inkâr edemeyiz. Bağışlayın! Kapı kapalıydı, biliyorum. Kaybolan mücevherler yarım milyon değerinde. Peki ya pencere?"

"Kilitli, ama pervazda ayak izleri var."

"Evet, evet, eğer kilitliyse, ayak izlerinin bu meseleyle bir ilgisi yoktur. Bu, sağduyu. Adam bir kriz sonucu ölmüş olabilir, ama mücevherler nerede? Hah. Bir teorim var. Bazen geliyorlar işte böyle. Lütfen dışarı çıkar mısınız, Müfettiş ve siz lütfen, Bay Sholto. Arkadaşınız kalabilir. Sence bu nedir, Holmes? Sholto'nun itirafına bakılırsa, dün gece kardeşiyleymiş. Kardeşi kriz anında öldü, Sholto da hazineyle çekip gitti mi? Nedir?"

"Ölü adam da nazik bir şekilde kalktı ve kapıyı içeriden kilitledi."

"Vaov. Burada bir kusur var. Öyleyse sağduyuyu meseleye tatbik edelim. Bu Thaddeus Sholto herifi kardeşiyle birlikteydi, bir tartışma oldu; bunları biliyoruz. Kardeş ölü ve hazine de yok. Bunları da biliyoruz. Thaddeus yanından ayrıldığından beri, kardeşini başka gören olmadı. Yatağı bozulmamış, orada yatmamış. Thaddeus apaçık ruh hastası. Görünüşü de zaten, çekici değil. Görüyorsunuz ki Thaddeus etrafına örüyorum ağımı. Üzerine kapaklanacağım."

"Henüz gerçeklerle tam anlamıyla yüzleşmediniz," dedi Holmes. "Bu ufak diken, ki bunun zehirli olduğuna inanmak için her türlü delil var elimde, adamın kafasına, hala izini görebildiğiniz şu bölgeye saplıydı; gördüğünüz gibi yazılı olan bu kağıt, masanın üzerindeydi ve yanında daha tuhaf bir şey vardı: Taş başlı bir baston. Bütün bunlar teorinizle uyuşuyor mu?"

"Her açıdan," dedi şişman dedektif, çalımla. "Ev, Hintli garabetlerle dolu. Thaddeus bundan bahsetti ve eğer bu kıymık zehirliyse, Thaddeus da herhangi biri gibi, cinayeti bu dikenle işlemekle itham edilebilir. Yazı, biraz okus pokus –kör gibi. Tek soru şu: Nasıl ayrıldı? Ah, elbette, çatıda bir delik var."

Gövdesini de hesaba katarsak, müthiş denilebilecek bir çeviklikle merdivenleri tırmandı ve tavanarasına süzüldü; hemen sonra, kapak şeklindeki kapıyı keşfettiğini bildiren zafer haykırışını duyduk.

"Bir şeyler bulabilir," dedi Holmes, omuz silkerek. "ani zekâ parıltıları var. Il n'y pas des sots si incommodes que ceux qui ont de l'esprit!"*

*Aklın iğrençlikleri olmasa aptallar da olmazdı.

"Görüyorsunuz!" dedi Athelney Hones, merdivenlerden gerisingeri inerken; "gerçekler teorilerden iyidir vesselam. Meseleye bakışım doğrulandı. Çatıyla bağlantılı bir kapak kapı var ve yarı yarıya açık."

"Onu ben açtım."

"Ah gerçekten mi! Yani o kapağı görmüştün?" Bu keşfe dair biraz yılgın görünüyordu. "Pekâlâ, kim fark ettiyse artık, beyefendinin nasıl çıkıp gittiğini söylüyor bu kapak bize. Müfettiş!"

"Evet, efendim," diyen bir ses duyuldu koridordan.

"Bay Sholto'ya buraya gelmesini söyleyin. Bay Sholto, söyleyeceğiniz her şeyin aleyhinize delil olarak kullanılacağını bildirmek, görevimdir. Kraliçe adına sizi kardeşinizin ölümüyle suçlayarak tutukluyorum."

"İşte, gördünüz. Size dememiş miydim!" diye bağırdı zavallı küçük adam. İsyan edercesine kollarını sallarken, bakışları bizi tarıyordu.

"Canınızı sıkmayın, Bay Sholto," dedi Holmes. "Sanırım sizi aklama garantisi verebilirim."

"Fazla söz verme, Bay Kuramcı, fazla söz verme!" diye terslendi dedektif. "Düşündüğünden daha zor olabilir bu."

"Sadece onu aklamakla kalmayacağım, Bay Jones, aynı zamanda dün gece burada bulunan iki insandan birinin eşkâlini ve ismini söyleyeceğim size. İnanmak için her türlü kanıta sahibim ki, ismi Jonathan Small. Kötü eğitimli biri; küçük, atik ve sağ bacağı aksıyor, bacağında içeriden tutturulmuş, aşınmış bir tahta parçası var. Sol çizmesi kaba, kare topuklu ve ökçenin etrafında demir bir şerit var. Güneşten yanmış orta yaşlı bir adam ve hüküm giymişliği var. Bu ipuçlarının size yararı dokunabilir, elinin ayasından sıyrılan deri parçaları gerçeğiyle de uyuşuyorlar. Diğer adam da..."

"Ah, diğer adam?" diye sordu Athelney Jones dudak bükerek, ama kolaylıkla görebiliyordum ki, Holmes'un meseleye dair söylediklerinden bir hayli etkilenmişti. "Daha tuhaf biriymiş," dedi Sherlock Holmes, ayakkabısının ökçesi üzerinde dönerek. "Umarım çok geçmeden size ikisini de teslim ederim. Size söyleyecek bir şeyim var, Watson."

Beni merdivenlerin oraya götürdü.

"Bu beklenmedik olay," dedi, "seyahatimizin asıl amacından sapmasına sebep oldu."

"Ben de tam böyle düşünüyordum," dedim, "Bayan Morstan'ın bu saçma sapan evde kalması doğru değil."

"Değil. Ona eve kadar eşlik etmelisiniz. Kendisi Bayan Cecil Forrester ile Aşağı Camberwell'de yaşıyor; yani pek uzak değil. Eğer tekrar dönebilirseniz, burada sizi bekliyor olurum. Belki de fazla yorgunsunuz?"

"Katiyen. Bu esrarengiz işi bitirene dek dinlenebileceğimi sanmıyorum. Hayatın katı taraflarıyla ilgili şeyler gördüm ama sizi temin ederim ki, bu gece birbiri ardına gelen tuhaf sürprizler sinirlerimi tamamen sarstı. Bununla birlikte, buraya kadar gelmişken, meseleyi sizinle incelemeye devam etmek istiyorum."

"Sizin varlığınız bana çok büyük bir yardım," dedi. "Meseleyi bağımsız olarak inceleyebiliriz ve bu Jones denen adamı da, üzerine fikir inşa etmek istediği bu kıl-tüyle bırakırız. Bayan Morstan'ı bıraktıktan sonra, sizden Lambeth su kenarına yakın Pinchin Yolu 3 numaraya gitmenizi istiyorum. Sağ kolunuz üzerindeki üçüncü evde oturan Sherman adlı kişi, bir hayvan dostudur. Pencerede genç bir tavşan tutan bir gelincik göreceksiniz. Yaşlı Sherman'a gidin ve ona, selamlarımla birlikte, bir an önce Toby'yi istediğimi söyleyin. Toby'yi de alıp buraya gelin."

"Bir köpek, sanırım?"

"Evet, tuhaf bir melez; şimdiye dek tanık olduğum en şaşırtıcı koku alma duyusuna sahip. Toby'nin yardımını Londra'nın tüm dedektiflerinin yardımına tercih ederim.

"Getireyim öyleyse," dedim. "Saat bir oldu, eğer atımı değiştirebilirsem, saat üçten önce dönmüş olurum."

"Ve ben de," dedi Holmes, "bakalım Bayan Bernstone ve şu, Bay Thaddeus'un dediğine göre yan tavanarasında uyuyan Hintli hizmetçiden neler öğrenebileceğim. Sonra Ulu Jones'un yöntemlerini çalışacak ve onun pek de kırıcı olamayan istihzalarını dinleyeceğim."

"Wir sind gewohnt dass die Menschen verhohnen was sie nicht verstehen."*

"Goethe her zaman sıkıdır."

---

*Anlamadıkları şeylerle dalga geçen insanlara aşinayız.

VII. Bölüm

FIÇI

Polis, bir arabayla gelmişti ve ben de aynı arabayla Bayan Morstan'ı evine götürdüm. Kadınların o meleksi varoluşu sebebiyle, kendisinden daha korkmuş vaziyetteki kâhya kadının yanında metanetini koruyarak oturuyor bulmuştum Bayan Morstan'ı. Kendisi sakin ve serinkanlı görünüyordu. Bununla birlikte, arabada, rengi birden attı ve sonra ansızın ağlama krizine tutuldu –geceki serüvenlerden öylesine yorulmuştu ki. O seyahat boyunca kendisine soğuk ve uzak olduğumu düşündüğü için ağladığını söyledi daha sonra. Az buçuk tahmin edebiliyormuş göğüs kafesimin içindeki çırpınmaları, yahut itidal çabalarımı. Bahçede elini tutmak için elimi uzatırken, duygularım ve sevgim de ona doğru hareket ediyordu. Hayatın sıradan birçok yılının, bana onun ne kadar tatlı, ne kadar cesur bir tabiatı olduğunu, bu tek gecenin serüvenlerinde olduğu kadar öğretemeyeceğini hissediyordum. Yine de dudaklarımdan dökülecek sözcüklere mani olan birkaç düşünce kafamın içinde dolaşıyordu. Zayıf ve çaresizdi, sinirleri sarsılmış ve beyni bulanmıştı. Böyle bir durumda ona aşkımı itiraf etmek, onu büsbütün güç bir duruma sokmak olurdu. Daha da kötüsü, o zengindi. Eğer Holmes'un araştırmaları başarıyla sonuçlanırsa, varis olacaktı. Kıt maaşlı bir cerrahın, şansın sebep olduğu böyle bir kişisel duruma ortak olmayı talep etmesi onurlu, adil bir davranış mıydı? Beni bayağı bir servet avcısı gibi görmez miydi o zaman? Aklından böyle bir düşüncenin geçmesi ihtimaline bile tahammül edemedim. Bu Agra hazinesi, aşılmaz bir engel gibi aramıza girivermişti.

Bayan Cecil Forrester'ın evine vardığımızda saat neredeyse ikiydi. Hizmetçiler saatler önce çıkmışlardı ama Bayan Morstan'ın aldığı tuhaf mesaj Bayan Forrester'ın ilgisini çekmiş ve kadıncağız onun dönüşünü beklemişti. Kapıyı bizzat kendisi açtı; orta yaşlı, zarif bir kadındı; ayrıca Bayan Morstan'ın bileğini yakalayan kolunun ne kadar müşfik, onu tebrik eden sesinin ne kadar anaç olduğunu görmek ve duymak, beni mutlu etti. Sadece işvereni değil, artık onurlu bir dostuydu da. Beni tanıştırdı, Bayan Forrester da ciddiyetle içeri girmem ve serüvenlerimizi anlatmam için yalvar yakar oldu. Bununla birlikte, işlerimin önemini açıklayarak izin istedim ve onlara sadakatle söz verdim ki, şayet gece herhangi başka bir gelişme olursa, mutlaka haber verecektim. Arabaya bindik; uzaklaşırken arkaya dönüp kısa bir bakış attım ve merdivenlerde kucaklaşmış o iki kişiyi bir kez daha gördüm; iki zarif, sımsıkı sarılmış beden, yarım açık kapı, koyu camlardan taşan koridor ışığı, barometre ve merdiven tırabzanları... Etrafımızı kuşatan vahşi, karanlık işin içinde, geçici de olsa, huzurlu bir İngiliz evinin tebessümünü görmek teselli vericiydi.

Ve ben neler olduğunu düşündükçe, işler daha da vahşi ve daha da karanlık bir hal aldı. Gaz lambalarıyla aydınlatılmış sessiz caddelerde arabamız tıkırtıyla ilerlerken, olağanüstü olaylar dizisini gözden geçiriyordum. Asıl sorunumuz, en azından hayli açıktı önümüzde şimdi. Kumandan Morstan'ın ölümü, yollanan inciler, ilan, mektup –bütün bu meselelere ışık tutmayı başarabilmiştik. Bize ancak, daha derin ve çok daha trajik bir gizem kalıyordu. Hint hazinesi, Morstan'ın bagajında bulunan tuhaf plan, Büyük Sholto'nun ilginç ölüm sahnesi, hazinenin yeniden bulunmasının hemen sonrasında hazineyi bulan kişinin de ölümü, cinayetin işlendiği tuhaf şey, ayak izleri, unutulmaz araçlar, kağıtta yazılı sözcükler, Kumandan Morstan'ın çizelgesine tamamen uyan şeyler –gerçekten de bir lâbirent vardı burada, bir adamın tek başına belki ipuçunu bile bulamayacak pansiyoner arkadaşımızdan daha müstesna bir şekilde içinde gezdiği bir lâbirent.

Pinchin Yolu, Lambeth'in aşağı taraflarındaki iki katlı, hırpani, tuğla evlerin sıralanmasıyla oluşmuştu. Açılmadan önce 3 numaralı evin kapısına epey vurmam gerekti. Sonunda, karanlığın içinden bir mumun pırıltısı seçildi ve bir kelle, üst pencereden uzanıp baktı.

"Gel bakalım seni sarhoş serseri," dedi adam, "eğer sorun çıkarmaya devam edersen kulübelerin kapısını açıyorum ve kırk üç köpeği üzerine salıyorum."

"Eğer, ne için geldiğimi söylemem için bir dakikalığına izin verirseniz," dedim.

"Söyle!" diye bağırdı ses. "Ne kibarlık, bu çantanın içinde bir silecek var, atıyorum, eğer yakalamazsan tam kafana düşecek!"

"Ama ben köpek istiyorum," diye haykırdım.

"Tartışmayacağım!" diye bağırdı Bay Sherman, "Şimdi uzaklaş, yoksa üç dediğimde sileceği kafana yersin."

"Bay Sherlock Holmes," diye başladım; ama sözcüklerin sanki açıl susam açıl demişim gibi öyle sihirli bir etkisi oldu ki, pencere derhal kapandı ve bir dakika içinde kapı açıldı. Bay Sherman leylek gibi, sıska ve yaşlı bir adamdı; çökük omuzları, tel gibi boynu ve mavi camlı gözlükleri vardı.

"Sherlock Holmes'un arkadaşları her zaman hoş gelirler," dedi. "İçeri girin bayım. Porsuktan uzak durun, çünkü ısırıyor. Ah, yaramaz, yaramaz, beyefendiden bir ısırık almak ister miydin?" Bu, şerir kafasını ve kırmızı gözlerini kafesinin çubukları arasına sokmuş bir kakım içindi. "Siz ona aldırmayın bayım; sadece bir köryılan. Zehirli dişleri yoktur, ben de odanın içinde dolaşmasına izin veriyorum çünkü böcekleri yiyor. İlkin size öyle davrandığım için kusuruma bakmayın lütfen, çünkü çocuklar beni sıkça rahatsız ediyor, sadece rahatsız etmek için kapımı çalanlar bile var. Sherlock Holmes'un istediği neydi?"

"Köpeklerinizden birini istiyor."

"Ah! Toby olacak."

"Evet, adı Toby imiş."

"Toby sol tarafta, 7 numarada yaşıyor."

Odayı donattığı tuhaf hayvanlar ailesi arasından elinde mumuyla yavaşça ilerledi. Değişken, gölgeli ışıkta, bulanık da olsa, her yarık, her çatlak ve her köşeden bizi süzen parıltılı gözleri sezebiliyordum. Üzerimizdeki çatının kirişi bile bir sürü kümes hayvanıyla doluydu; seslerimiz uykularını bölünce, vücutlarının ağırlıklarını tembel tembel, bir ayaktan diğerine veriyorlardı.

Toby, çirkin, uzun tüylü, yuvarlak kulaklı bir yaratıktı; yarı spanyel yarı lurçerdi; kahverengi ve beyazdı; hantal, paytak bir yürüyüşü vardı. Biraz tereddüt ettikten sonra, eski bir yaşlı bakıcıdan aldığım bir parça şekeri mideye indirdi, böylece dost olduk, beni arabaya kadar izledi ve refakat ederken hiç sorun çıkarmadı. Kulenin saati üç kez vurduğunda tam da Pondicherry Pansiyonu'na varmak üzereydim. Eski ödül dövüşçüsü McMurdo, suç ortağı olarak tutuklanmıştı ve hem o, hem de Bay Sholto, merkeze götürülmüşlerdi. İki polis memuru dar kapıyı tutmuştu ama dedektifin isminden söz edince köpekle birlikte geçmeme izin verdiler.

Holmes, elleri ceplerinde kapı eşiğinde duruyor, piposunu tüttürüyordu.

"Ah, adamı getirmişsin," dedi. "Aferin sana köpek. Athelney Jones gitti. Sen gittikten sonra müthiş bir performans göstererek, sadece dostumuz Thaddeus'u değil, kapı bekçisini, kâhya kadını ve başka bir Hintli hizmetçiyi daha tutukladı. Burası tamamen bizim, bir tane komiser muavini var, hepsi bu. Köpeği burada bırak ve yukarı gel."

Toby'yi koridordaki masaya bağladık ve tekrar çıktık merdivenleri. Oda bıraktığımız gibiydi, sadece merkezdeki figürün üzeri çarşafla örtülmüştü. Bitkin görünümlü bir polis memuru köşede arkasına yaslanmış oturuyordu.

"Şu nişan tahtasını bana ödünç ver, Müfettiş," dedi arkadaşım. "Şimdi, bu kâğıt parçasını boynuma geçirin, önümde sallansın. Teşekkür ederim. Şimdi çizmelerimi ve çoraplarımı çıkarmalıyım. Watson, bunları aşağı indir. Biraz tırmanacağım. Ayrıca mendilimi de katran ruhuna bandır. Bu işe yarayacak. Şimdi benimle tavanarasına gel bir dakikalığına."

Delikten yukarı tırmandık. Holmes, fenerini bir kez daha tozlu zemindeki ayak izlerine çevirdi ve "bu ayak izlerine özellikle dikkat etmeni istiyorum," dedi. "Dikkate değer bir şey gözlemledin mi onlarda?"

"Küçük bir kadına, ya da bir çocuğa ait olmalılar," dedim.

"Büyüklüklerinden başka. Başka bir şey var mı?"

"Diğer ayak izleri gibi görünüyor."

"Hiç de değil. Buraya bak! Tozdaki bir sağ ayak izi. Şimdi çıplak ayağımı onun yanına koyuyorum. En büyük farklılık nedir?"

"Senin ayak parmakların hep birlikte kenetli. Diğer ayak izinde bir parmak belirgin bir biçimde bölünmüş."

"Elbette. İşte bu. Bunu aklında tut. Şimdi, şu kanatlı pencereye doğru gitmek ve doğramaları koklamak lütfunu gösterir misin acaba? Ben burada duracağım, mendilim de elimde."

Söylediğini yaptım ve güçlü, katranlı bir koku aldım hemen.

"İşte, çıkarken ayağını bastığı yer burası. Eğer sen onu izleyebiliyorsan, herhalde Toby izlemekte hiç zorlanmayacaktır. Şimdi, aşağı git, köpeği çöz ve beni takip et."

Ben aşağı indiğimde, Sherlock Holmes çatının üzerindeydi ve onun dev bir köryılan gibi çatı sırtında süründüğünü görebiliyordum. Birkaç baca araya girince onu kaybettim ama sonra tekrar belirdi, bir kez daha, karşı tarafta gözden kayboldu. Yolumu oraya doğrultunca, saçaklardan birinin altında otururken gördüm onu.

"Sen misin, Watson?" diye bağırdı.

"Evet."

"İşte burası. Oradaki siyah şey nedir?"

"Bir su fıçısı."

"Üstünde?"

"Evet?"

"Bir merdiven izi yok mu?"

"Hayır."

"Şaşırtıcı! En tehlikeli yer burası. Onun çıkabildiği yerden ben iniyor olabilmeliyim. Su borusu oldukça sağlam görünüyor. Neyse, başlayalım."

Ayağa kalkarken bir an dengesini yitirir gibi oldu ve fenerin ışığı duvara yansıdı. Ardından, hafif bir esneklikle fıçının üzerine geldi, oradan da aşağı zıpladı.

"Onu izlemek kolay oldu," dedi, çoraplarını ve çizmelerini silkelerken. "Kiremitler gevşekti ve acele ederken bunu düşürmüş olacak. Benim tanı ve teşhislerimi doğruluyor, siz doktorlar böyle diyorsunuz, değil mi?"

Bana gösterdiği şey, renkli otlardan örülmüş ve cafcaflı boncuklarla süslenmiş küçük bir cüzdan ya da keseydi. Şekline şemaline bakılırsa, bir tütün kesesi olarak kullanıldığını söylemek de mümkündü. İçinde yarım düzine koyu ağaç dikeni vardı. Bir yanları yuvarlak, diğer yanları keskin; tıpkı Bartholomew Sholto'nun tenine saplanan dikenlerden.

"Korkunç şeyler," dedi. "Sakın kendini zehirlemeyesin. Onları elime geçirdiğime çok sevindim, çünkü sahip olduklarının hepsi bu kadar olabilir. Senin ya da benim tenimizde bunlardan bir tane bulmamız için uzun zaman geçmesi gerekecek. Ben daha ziyade bir Martini kurşunuyla ölmeyi tercih ederim. Altı millik bir yürüyüşe ne dersin, Watson?"

"Olur," dedim.

"Bacağın dayanabilir mi?"

"Ah, evet."

"İşte buradasın köpecik. İyi köpek, yaşlı Toby! Kokla Toby, kokla!" Katranlı mendili köpeğin burnuna tuttu, bu sırada hayvan tüyleri kabarık bacaklarını ayırmış halde bu yılın seçkin ürünlerini koklayan bir uzman gibi kafasını uzatmış ve çok komik görünüyordu. Holmes o sırada mendili biraz uzağa fırlattı ve hayvanın tasmasına dayanıklı bir ip bağladı, sonra da onu su fıçısının yanına götürdü. Hayvan, anında titrek ve yüksek sesle havlamaya başladı, burnu yerde kuyruğu havada, tasmasının gerilmesine sebebiyet verecek bir süratle iz sürmeye başladı, bizi de olabildiğince hızla peşinden sürüklüyordu.

Doğu tarafı giderek ağarıyordu ve artık soğuk gri ışıkta biraz uzağımızı görebiliyorduk. Siyah, boş pencereleri ve yüksek, çıplak duvarlarıyla üzgün ve harap yükselen kare şeklindeki heybetli ev, arkamızda kalmıştı. Yolumuz, etrafa serpilmiş çukurların içinden, kesişen tümseklerin üstünden geçerek sağa kıvrılıyordu. Bütün o yer, dağınık pislik kümeleri ve her yeri bürümüş çalılarıyla, mahvolmuş ve uğursuz görünüyor, üzerimizde sallanan kara trajediyle uyumlu bir görüntü arz ediyordu.

Bahçe duvarına varınca, Toby, duvarın gölgesi boyunca istekle inildeyerek gitmeye başladı ve genç bir kayın ağacıyla kıvrılan köşede nihayet durdu. İki duvarın kavuştuğu yerde bir sürü eksik tuğla vardı ve böylece oluşan çatlaklar aşınmış, bir tarafı alçaltmışlardı; sanki sık sık bir merdiven kullanılmış gibi. Holmes var gücüyle tırmandı ve köpeği benden alarak diğer tarafa geçirdi.

"İşte Tahta Bacaklı'nın ayak izi," dedi, yanından tırmanırken. "Beyaz sıva üzerindeki hafif kan lekesini görüyor olmalısın. Dünden beri sağanak bir yağmur olmaması ne şans! Koku, yirmi saatten fazla geçmesine rağmen yolda duruyordur."

İtiraf etmeliyim ki, bu safhada, Londra yolundan akan trafiği düşününce, bazı şüphelerim oldu. Gelgelelim, korkularım çok geçmeden kayboldu, zira Toby, ne tereddüt ediyor, ne de başka bir yere yöneliyordu; paytak yürüyüşünü hiç aksatmadan devam etti iz sürmeye. Besbelli katranın keskin kokusu, diğer tüm kokuları bastırıyordu.

"Sakın bu meseleyi çözmemi sadece bu adamlardan birinin ayağını kimyasal bir sıvıya basmış olması şansına bağlama," dedi Holmes. "Şu anda onların izini birçok farklı yoldan sürebilecek kadar malumat var elimde. Gelgelelim, bu yol en çabuğu ve talih bunu bize verdiğine göre, ihmal etsem kabahat işlemiş olurdum. Fakat, ilkin olacağını vaat ettiği üzere, biraz entelektüel bir problem olmasını engelliyor. Bundan elde edilecek bazı saygınlıklar yok değil ama bu fazla aşikâr bir ipucu."

"Bu bir itibar, ayrıca cepte," dedim. "Seni temin ederim Holmes, Jefferson Hope cinayetinden çok daha fazla şaşırdım bu meselede elde ettiğin sonuçlara nasıl ulaştığına. Sözgelimi, nasıl bu kadar kendinden emin bir şekilde tarif edebiliyorsun tahta bacaklı adamı?"

"Peh, evlat! Zaten ortada. Teatral olmak istemiyorum. Hepsi apaçık belli ve doğru. Bir mahkûmun korunmasıyla görevli iki subay, gömülü bir hazine gibi önemli bir sır öğreniyorlar. Jonathan Small adında bir İngiliz tarafından onlara harita çiziliyor. Bu ismi Kumandan Morstan'ın haritasında gördüğümüzü hatırlıyor olmalısın. Kendisi ve ortaklarıyla imzaladı altını –dört kişinin imzası, çarpıcı bir biçimde böyle söylüyor ya. Bu haritanın yardımıyla, subaylar –ya da içlerinden biri- hazineyi buluyor ve varsayalım ki, olması gerektiği gibi olmamasını sağlayan bazı durumlarla, İngiltere'ye getiriyor. Şimdi, öyleyse, niçin Jonathan Small hazineyi kendisi almıyor? Cevap çok açık. Morstan mahkûmlarla yakın ilişki içine girdiğinde haritaya bir tarih düşülüyor. Jonathan Small hazineyi almıyor çünkü mahkûm olan o ve ortakları çıkamıyorlar."

"Ama bu sadece bir spekülasyon," dedim.

"Fazlası. Gerçeklerle örtüşen tek hipotez. Sonuçlarla nasıl uyuştuğunu görelim. Binbaşı Sholto birkaç yıl boyunca rahatta yaşıyor, hazinesinin sahipliğiyle mutlu. Sonra Hindistan'dan kendisini müthiş korkutan bir mektup alıyor. Bu nedir?"

"Aldattığı adamların serbest bırakıldığını söyleyen bir mektup."

"Ya da kaçtıklarını. Bu daha yüksek bir olasılık, çünkü mahkûmların hapis sürelerinin ne zaman dolduğunu biliyor olması gerekir. Salıverilseler, kendisi için şaşırtıcı olmazdı. O zaman ne yapıyor? Kendisini tahta bacaklı bir adama karşı koruyor – beyaz bir adam, dikkatini çekerim, çünkü beyaz başka bir adamı o zannedip ateş ediyor. Şimdi, sadece tek bir beyaz adamın ismi var haritada. Diğerleri Hindu ya da Müslüman. Başka bir beyaz yok. Bu yüzden, kesinlikle emin olarak, tahta bacaklı adamın Jonathan Small olduğunu söyleyebiliriz. Buraya kadar bir hata var mı?"

"Hayır; açık ve makul."

"Öyleyse, şimdi kendimizi Jonathan Small'un yerine koyalım. Olaya onun açısından bakalım. İngiltere'ye, kendi hakkı olduğuna inandığı şeyi geri almak ve kendisini aldatan adamdan intikam almak üzere geliyor. Sholto'nun nerede yaşadığını buluyor ve kuvvetle muhtemeldir ki, evin içinden biriyle iletişim ilişki kuruyor. Şu Lal Rao var, baş uşak, henüz onu görmedik. Bayan Bersntone'un söylediklerine bakılırsa, iyi bir kişilik sahibi olmaktan uzak. Bununla birlikte Small, hazinenin nereye saklandığını bulamaz, çünkü ölen sadık hizmetkâr ve Binbaşı Sholto dışında nereye saklandığını bilen yok. Ansızın, Small, Binbaşı Sholto'nun ölüm döşeğinde olduğunu öğreniyor. Hazinenin nerede olduğu bilgisinin onunla birlikte ölmesinden delicesine korkuyor ve muhafızları atlatarak ölen adamın penceresine geliyor; içeri girememesinin tek sebebi, Sholto'nun iki oğlunun, o sırada orada olması. Öfkeden deliye dönen adam, o gece odaya giriyor ve hazineyle ilgili bazı önemli şeyler bulma umuduyla Binbaşı Sholto'nun özel eşyalarını karıştırıyor; nihayet kısa ziyaretinin anlamına binaen ufak bir hatıra bırakıyor kâğıt üzerine. Kuşkusuz, Binbaşı Sholto'yu öldürmeyi önceden planlamış olduğundan, kâğıdın üzerine bunun sıradan bir cinayet olmadığını, diğer dört ortağın bakış açısından, adaletin doğasının gereği vuku bulduğunu söyleyen bir not yazıyor. Suç tarihinde böylesi tuhaf ve acayip kendini beğenmişlikler sıradan olabilecek kadar çoktur ve genelde işlenen suçla ilgili önemli ipuçları verir. Bütün bunlar açık mı?"

"Evet, oldukça."

"Şimdi, Jonathan Small ne yapabilir? Hazineyi bulmaya yönelik çabalarını sürdürürken, bir yandanda sır saklamaya devam edecektir. Muhtemelen İngiltere'den ayrılıyor ve aralıklarla geliyor. Sonra tavanarası keşfediliyor ve bundan derhal haberdar oluyor. Elbette evdeki yardımcısının yardımıyla olduğunu söylemek durumundayız. Jonathan, tahta bacağıyla, Bartholomew Sholto'nun yüksek odasına çıkmaya muktedir değil. Bununla birlikte, yanında daha tuhaf bir arkadaş getiriyor ki, o da, bu zorluğun üstesinden geliyor ama çıplak ayağıyla katranı ruhuna basıyor, bu yüzden de Toby geliyor ve aşil tendonunda sorunlar olan yarım maaşlı bir subay için altı millik bir topallama kaçınılmaz oluyor."

"Ama cinayeti işleyen Jonathan değil, ortağıydı."

"Kısmen evet. Ve Jonathan'ın nefreti; odaya girdiğinde ayağını yere vuruşuyla hükmü veren oydu. Bartholomew Sholto'ya karşı hiç kıskançlık taşımıyordu ve eğer kolaylıkla bağlayıp ağzını tıkayabilseydi, bunu tercih ederdi. Kafasına bir diken saplamayı istememişti. Gelgelelim, yardım edecek kimsesi yoktu. Arkadaşının vahşi içgüdüleri patlak vermişti ve zehir de işini yaptı; böylece Jonathan Small yerinden ayrıldı, hazine sandığını yere indirdi ve kendisi onu izledi. Deşifre edebildiğim kadarıyla olayların gidişatı bu. Elbette, fiziksel görünüşüne bakılırsa, orta yaşlı ve Andamaların fırın sıcağında onca zaman hizmet ettiğine göre, yanık tenli olacak. Boyu, adımlarından kolaylıkla hesaplanabilir ve sakallı olduğunu biliyoruz. Thaddeus Sholto onu camda gördüğünde, gözüne çarpan tek şey, adamın ne kadar da kıllı olduğuydu. Başka bir şey var mı, bilmiyorum?"

"Ortak?"

"Ah, evet, bunda bu kadar büyük bir gizem filan yok. Ama hepsini yakında öğreneceksin. Sabah havası ne hoş! Şu küçük bulutun kocaman pembe bir flamingo gibi süzülüşüne bir bak. Güneşin kırmızı kenarı Londra bulutlarının üzerine yükseliyor. Birçok iyi insanın üzerine doğuyor, ama bahse girerim bu insanlardan hiçbiri ikimizden daha tuhaf bir iş üzerinde değil. Doğanın müthiş ilkel güçlerinin varlığı karşısında küçük amaçlarımız ve çabalarımızla ne kadar da zavallıyız! Senin Jean Paul'la iyisiniz ya?"

"Oldukça. Carlyle üzerinden ona geri dönme fırsatı buldum."

"Bu tıpkı dereyi göle dek izlemek gibi. Tuhaf ama derin bir açıklama oldu. İnsanın asıl muhteşemliğinin kendi küçüklüğünü algılamasında yattığını ispatlaması. Kendi başına soyluluğu işaret eden bir değerlendirme ve mukayese gücü, görüyorsun. Richter'de düşünceye daha fazla ekmek var. Bir silahın yok, değil mi?"

"Bastonum var."

"Eğer inlerine varırsak silah benzeri şeylere ihtiyacımız olabilir. Jonathan'ı sana bırakırım ama diğeri yaramazlık yaparsa beynine kurşunu yer."

Konuşurken silahını çıkardı ve fişek yataklarından ikisini doldurarak, tekrar ceketinin sağ el cebine koydu.

Bu süre boyunca Toby'nin rehberliğinde, şehrin meydanına giden yazlık evlerle sıralı yarı-kırsal yollar boyunca ilerliyorduk. Fakat şimdi, rençperlerin ve liman işçilerinin şimdiden ayakta olduğu, pasaklı kadınların panjurlarını kaldırdığı ve kapı eşiklerini süpürdüğü aralıksız caddelere gelmeye başlamıştık. Meydanların köşelerindeki otellerde iş henüz başlıyordu ve sert görünümlü adamlar, sabah duşlarını almışlar, yenleriyle sakallarını sıvazlıyorlar ve çıkıyorlardı. Biz geçerken, tuhaf görünüşlü köpekler aylak aylak dolaşıyorlardı ve hayretle bizi izliyorlardı, fakat eşsiz Toby'miz, ne sağa ne sola bakıyor, yere doğrulttuğu burnunun götürdüğü yere gidiyor ve sıcak bir iz kokusu aldığında ara sıra istekle havlıyordu.

Streatham, Brixton, ve Camberwell'den geçmiş, Oval'ın doğusundaki caddelerden devam ederek Kennington Yolu'na varmıştık. İzlediğimiz adamlar acayip bir zikzak çizmiş gibi görünüyorlardı; herhalde kaçış fikrinden dolayı olsa gerek. Dönüşlerine yardımcı olacak bir paralel yol olduğu müddetçe, asla anayoldan gitmiyorlardı. Kennington Yolu'nun ucunda, Bond ve Miles caddelerinden sola kıvrılmışlardı. Miles caddesinin Şövalyenin

Yeri'ne döndüğü yerde, Toby durdu ama bir kulağı dikilmiş, diğer kulağı eğik, köpeksi bir kararsızlıkla ileri geri koşmaya başladı. Sonra paytak yürüyüşüyle daireler çizdi, arada bir, sanki utandığı için biraz hoşgörü istiyormuşçasına bize bakıyordu.

"Bu köpeğin nesi var?" diye hırladı Holmes. "Bir arabaya binmiş olamazlar. Balon olup uçmadılar ya!"

"Belki de burada biraz durdular," dedim.

"Ah, tamam. İşte yine gidiyor," dedi arkadaşım, ferahlamış halde.

Gerçekten de gidiyordu, çünkü etrafı koklamış ve ansızın kararını vermiş, şimdiye dek göstermediği bir kararlılık ve enerjiyle ileri atılmıştı. Koku, eskisinden daha kesif olacaktı, çünkü burnunu yere koymuyordu bile, sadece havayı kokluyor ve tasmasını çekiştirerek bizi koşmaya zorluyordu. Holmes'un gözündeki parıltılardan, seyahatimizin sonuna yaklaştığımızı anladım.

Rotamız Nine Elms'e iniyor gibiydi, ta ki White Eagle meyhanesini geçer geçmez beliren Broderick ve Nelson'un büyük kereste avlusuna varıncaya dek. İşte köpek, heyecandan çılgına dönmüş gibi, bıçkıcıların çoktan işe başladığı kapalı alanın kapısına yönelmişti. Bıçkı tozları ve talaşlar arasından koşturan köpek, dar bir yoldan, bir geçidin etrafından, iki odun yığınının arasından geçti ve nihayet, muzaffer bir havlayışla, halen getirildiği bir el arabasının üzerinde duran büyücek bir fıçının üzerine çıktı. Dışarı sarkan dili ve yanıp sönen gözleriyle Toby, fıçının üzerinde duruyor, bir yorum almak istermiş gibi bir arkadaşıma, bir bana bakıyordu. Fıçının deliğine ve el arabasının tekerine koyu bir sıvı sürülmüştü ve hava, tamamen ağır katran kokuyordu.

Sherlock Holmes ve ben, boş gözlerle birbirimize baktık ve ardından ikimiz de aynı anda kahkahayı patlattık.

VIII. Bölüm

BAKER CADDESİ DÜZENSİZ BİRLİKLERİ

"Şimdi ne yapıyoruz?" diye sordum. "Toby yanılmazlığını yitirmiş görünüyor."

"O duyularına göre hareket ediyor," dedi Holmes, köpeği fıçıdan indirdi ve hep birlikte yürüyerek kereste deposundan çıktık. "Eğer Londra'da bir günde ne kadar katran taşındığını düşünürsen, izlerin çakışmış olması sana da çok şaşırtıcı gelmeyecektir. Şimdilerde çok kullanılıyor, özellikle de kereste sezonunda. Zavallı Toby'nin bir suçu yok."

"Asıl kokuya geri dönmeliyiz, sanırım."

"Evet. Ve bereket ki gideceğimiz yer çok uzak değil. Şövalyenin Yeri'nin orada köpeği şaşırtan şey, orada farklı yöne giden iki aynı koku almasıydı, besbelli. Biz yanlış olanı seçtik. Diğerini izleyeceğiz."

Bunun bir zorluğu yoktu. Toby'yi yanılgıya düştüğü yere götürdük, bir süre düşündü ve daire çizdi, sonra da diğer yöne fırladı.

"Şu anda köpeğin bizi katran fıçısının geldiği yere götürmediğini nereden bileceğiz," dedim.

"Bunu düşündüm. Ama dikkat edersen kaldırımdan gidiyor, fıçıyı getirecek olan arabanın ise yoldan gelmesi lâzım. Yani şu anda doğru iz üstündeyiz."

Nehir kenarına doğru indi, Belmont Place ve Prince Caddesi'nden geçti. Broad Caddesi'nin sonunda, su kıyısına koşmaya başladı, orada tahta bir iskele vardı. Toby bizi bunun kıyısına götürdü ve orada inildeyerek, ötesindeki karanlık akıntıya bakarak bekledi.

"Şansımız yokmuş," dedi Holmes. "Buradan bir tekneye binmiş olacaklar."

Birçok borda botu ve sandal vardı suda, iskele boyunca. Toby'yi sırayla her yöne çeviriyorduk, fakat inatla koklamasına rağmen, hiçbir iz bulamadı.

İskelenin ilkel tahtalarına yakın, küçük bir tuğla ev vardı, ikinci penceresinden tahta bir levha aşağı sallanıyordu. Üzerinde büyük harflerle "Mordecai Smith" yazıyordu ve altında da, "Sandallar günlük yahut saatlik kiralanır." Kapının üzerinde ikinci bir yazı da, bizi bir istimbotun varlığı ile ilgili bilgilendiriyordu –kâgir iskelenin üzerine kok kömürüyle yazılmıştı bu yazı. Sherlock Holmes yavaşça etrafına baktı ve yüzünde meşum bir ifade belirdi.

"Bu kötü görünüyor," dedi. "Bu adamlar düşündüğümden daha üçkâğıtçı. İzlerini kaybettirmişler. Korkarım ki daha önceden birlikte tasarladıkları bir şeyi yapmışlar burada."

Evin kapısına yaklaşıyordu ki kapı açıldı ve altı yaşlarında kıvırcık saçlı bir çocuk koşarak dışarı çıktı; arkasında tombul, kırmızı suratlı bir kadın, elinde bir süngerle onu kovalıyordu.

"Geri gel ve yıkan, Jack," diye bağırıyordu. "Geri gel, seni genç şeytan; çünkü baban eve geldiğinde seni böyle görürse, bunun hesabını sorar."

"Benim küçük arkadaşım," dedi Holmes, stratejik bir tavırla. "Ne de al yanaklı bir kerata! Şimdi, Jack, istediğin bir şey var mı?"

Çocuk biraz düşündü, taşındı.

"Bir şilin isterim," dedi.

"Daha iyi bir şeyler istemez misin?"

"İki şilin isterim, daha iyi," dedi küçük deha, biraz düşündükten sonra.

"Al bakalım öyleyse. Yakala! –İyi bir çocuk, Bayan Smith!"

"Tanrı sizi korusun bayım, öyledir, öyledir. Benim için idare etmesi çok zor oluyor, özellikle de erkeğim çıkıp günlerce dönmediğinde."

"Yok mu kendisi?" dedi Holmes, hayal kırıklığına uğramış bir sesle.

"Dün sabahtan beri yok efendim, ve doğrusunu söylemek gerekirse, onun adına korkmaya başladım. Fakat bir tekne istiyorsanız belki ben de yardımcı olabilirim bayım."

"İstimbotu kiralamak istiyordum."

"Ah, istimbotla gitti kendisi, efendim. Zaten beni şaşırtan da bu, çünkü onunla ancak Woolwich'e gidip gelebileceği kadar kömürü var. Mavnayla açılsa bir şey değil, çünkü bazen Gravesend'e kadar işler gelir ve o da gider, orada yapacak çok iş yoksa da, orada kalır. Ama iyi bir istimbot bile olsa, kömürsüz ne yapar?"

"Nehrin aşağısındaki iskelelerden birinden biraz kömür almıştır."

"Belki, efendim, ama bunu pek yapmaz. Zira onu çok kereler birkaç eski kömür torbası için biçtikleri fiyata itiraz ederken duyarım. Hem şu tahta bacaklı adamdan hiç hoşlanmadım, çirkin suratlı ve tuhaf bir konuşması var. Niçin sürekli buraya geliyor, niçin kapımızı çalıyor sanki devamlı?"

"Tahta bacaklı bir adam mı?" dedi Holmes, mülayim bir şaşkınlıkla.

"Evet, efendim, kahverengi, maymun suratlı bir arkadaş, benim yaşlı erkeğimi bir kereden fazla çağırdı. Dün gece onu yatağından kaldırdı ve dahası, erkeğim onun geldiğini biliyordu, çünkü istimbotu isteyeceklerdi. Size söyledim bayım, o adam hakkında pek de iyi niyet beslediğimi söyleyemeyeceğim."

"Kıymetli Bayan Smith," dedi Holmes, omuz silkerek, "kendinizi korkutuyorsunuz dün gece hakkında. Gecenin bir vakti gelenin tahta bacaklı adam olduğunu nasıl söyleyebiliyorsunuz? Nasıl bu kadar emin olabildiğinizi anlamıyorum."

"Sesinden tanıdım, efendim. Sesini tanıyorum; kalın ve boğuk. Camı tıklattı –saat üç filandı. 'Kalk artık şu yataktan dostum,' diyor, 'kalkma zamanı.' Yaşlı erkeğimi ve en büyük oğlum Jim'i uyandırdı; hep beraber çıktılar, bana da bir şey söylemediler. Tahtadan bacağının taşlar üzerinde çıkardığı sesi duyabiliyordum."

"Peki, bu tahta bacaklı adam yalnız mıydı?"

"Pek emin değilim, efendim. Başka birini duymadım."

"Üzgünüm, Bayan Smith, çünkü bir istimbot istiyordum, şimdi de iyi haberler... Bir bakalım, adı ne bu istimbotun?"

"Seher, efendim."

"Ah, üzerinde sarı çizgiler olan, kemeresi geniş, şu eski yeşil tekne mi?"

"Hayır, aslında değil. Nehir üzerindeki herhangi küçük bir şey kadar zarif ve şıktır. Henüz boyandı, siyah boya üzerine kırmızı şeritleri var."

"Teşekkürler. Umarım yakında Bay Smith'ten haber alacaksınız. Nehrin aşağısına gidiyorum ve eğer Seher'den bir haber alırsam, sizin ne kadar endişelendiğinizi söyleyeceğim. Siyah bir baca, değil mi?"

"Hayır efendim, siyah beyaz."

"Ah, tabii. Gövdesi siyah idi. İyi sabahlar, Bayan Smith. Burada hafif bir sandal var, Watson. Ve bir kayıkçı. Onunla nehrin karşısına geçebiliriz."

"Böyle insanlarla ilgili en önemli şey," dedi Holmes, kayığa oturunca, "ellerindeki bilginin senin için en ufak bir önemi olduğunu dahi anlamamalarını sağlamaktır. Eğer anlarlarsa, istiridye gibi kaparlar çenelerini. Eğer yaptığım gibi itiraz ederek dinlersen, istediğini alırsın."

"Elbette şimdi çok daha açık," dedim.

"Ne yapardın öyleyse?"

"Bir istimbot bulur ve nehrin aşağılarında Seher'in izini sürerdim."

"Değerli arkadaşım, bu çok külfetli bir iş olurdu. Buradan Greenwich'e kadar nehrin her iki yanındaki bir sürü iskelenin herhangi birine demirlemiş olabilir. Köprünün altında, karaya çıkılacak kusursuz yerler var, millerce. Onları tüketmen günlerini, günlerini alır, eğer böyle yaparsan."

"Polis, öyleyse."

"Hayır. Athelney Jones'u son dakikada arayacağım. Kötü biri değil ve mesleki olarak onu yaralayacak bir şey yapmak istemiyorum. Ama kendim çözeceğim meseleyi, buraya kadar gelmişken bırakamam."

"İskele memurlarından bilgi alarak onların eşkâlini çıkartabilir ve teşhir edebiliriz öyleyse?"

"Daha da kötü bir fikir. Adamlarımız zaten yumurtanın kapılarına dayandığını hissediyorlar; böyle yaparsak ülkeden çıkarlar. Zaten şu anda gitmeyi yeterince istiyorlardır, ama tamamen güvende olduklarını düşündükleri sürece acele etmezler. Jones'un enerjisini orada kullanabiliriz, çünkü olaya bakışı günlük gazetede kendini gösterecektir ve firariler de böylece herkesin yanlış iz üzerinde olduğunu düşüneceklerdir."

"Biz ne yapacağız öyleyse?" diye sordum, Millbank Hapishanesi'nin yanında karaya çıkarken.

"Atlayacağız şu arabaya, eve gideceğiz, kahvaltı edeceğiz, bir saat kadar uyuyacağız. Görünen o ki, geceleyin yine yayan olacağız. Bir telgraf ofisinde dur, şoför! Toby bizimle kalsın, daha onunla işimiz var."

Büyük Peter Caddesi Postanesi'nde durduk, Holmes telgraf çekti.

"Kime çektim bu telgrafı sence?" diye sordu, seyahatimizi sürdürürken.

"Kesinlikle bilmiyorum."

"Jefferson Hope olayında görevlendirdiğim Baker Caddesi'ne bakan dedektif polis güçlerini hatırlıyor musun?"

"Eh," dedim, gülerek.

"Paha biçilmez yararlılıklar gösterebilecekleri bir mesele bu. Başarısız olurlarsa başka kaynaklarım var, ama ilk önce onları deneyeceğim. Bu telgraf, benim küçük çirkin teğmenim Wiggins'eydi: umuyorum ki kahvaltımızı bitirmeden önce çetesiyle birlikte bize katılmış olacaklar."

Saat sekiz, dokuz gibi, gecenin heyecanları ardından güçlü tepkiler verdiğimin farkındaydım. Topaldım ve bitkindim; zihnim bulanmış ve bedenim yılmıştı. Arkadaşımdaki meslek aşkı bende yoktu, ne de onun gibi meseleye sadece soyut bir problem olarak bakabiliyordum. Bartholomew Sholto'nun öldüğünü duyduğumda onun hakkında pek fazla iyi şey işitmiş değildim ve katillerine karşı hiç antipati hissedememiştim. Hazine meselesi ise bambaşka idi. Bu, kısmen de olsa, Bayan Morstan'ın hakkıydı. Eğer yeniden ele geçirmemiz gibi bir ihtimal söz konusu idiyse, tüm hayatımı tek bir şeye adamaya hazırdım. Evet, eğer bulsaydım, bu servet, muhtemelen onu ulaşacağım yerin ötesine koyacaktı. Yine de önemsiz ve bencil bir aşk olurdu böylesi bir düşünceyle gölgelenen. Eğer Holmes'un çalışması suçluları ortaya çıkarmak amacını güdüyorsa, benim hazineyi bulmaya kendimi zorlamak için on kat daha güçlü bir sebebim vardı.

Baker Caddesi'nde bir hamam, beni baştan ayağa tazeledi desem yeri. Odamıza döndüğümde, kahvaltı hazırdı ve Holmes kahveleri koyuyordu.

"İşte," diyordu, açık bir gazeteyi göstererek gülerken. "Enerjik adamımız Jones ve her yerde hazır bulunan muhabirlerimiz aralarında çözmüşler davayı. Ama sen bunlara doydun. Biraz da jambon ve yumurtaya doy."

Gazeteyi ondan aldım ve "Yukarı Norwood'da Gizemli İşler" başlıklı kısa haberi okudum.

Söylenene göre, dün gece saat on iki sularında, Yukarı Norwood'daki Pondicherry Pansiyonu'nda yaşayan Bartholomew Sholto, cinayet ipuçlarıyla birlikte, odasında ölü bulundu. Öğrenebildiğimiz kadarıyla, Bay Sholto'da bir darp izi yok, fakat merhum beyefendiye babasından miras kalan çok kıymetli Hint mücevherleriyle dolu hazine götürülmüş. Keşif, ilkin merhumun kardeşi Bay Thaddeus Sholto'nun davetiyle orada bulunan Bay

Sherlock Holmes ve Dr. Watson tarafından yapıldı. Nadir rastlanır bir şans: Dedektif polis gücünün meşhur bir üyesi Bay Athelney Jones, o sırada Norwood Polis Merkezi'nde bulunmaktaydı ve haber verildikten yarım saat kadar sonra olay yerine intikal etti. Eğitimli ve tecrübeli yetilerini, derhal cinayetin keşfine yoğunlaştırdı; merhumun kardeşi Thaddeus Sholto'nun, kâhya kadın Bayan Bernstone'un, Hintli baş uşak Lal Rao'nun ve McMurdo adlı hamal yahut kapı görevlisinin tutuklanmasına hükmetti. Hırsız veya hırsızların evce iyi tanındıkları apaçık ortada, çünkü Bay Jones'un meşhur teknik bilgisi ve anlık gözlem gücü, ona zalimlerin kapıdan ya da pencereden değil, ancak binanın çatısından girmiş olabileceğini kesinkes ispat etmesini sağladı; böylece çatı incelendi ve cesedin bulunduğu odaya açılan kapak şeklinde bir kapı bulundu. Ne anlama geldiği gayet açıkça anlaşılan bu olgu, olayın gelişigüzel bir hırsızlık olmadığını kesinkes kanıtlamaktadır. Kanun adamlarının dakik ve enerjik çalışmaları, böylesi olaylarda dinç ve buyurucu tek bir aklın ne kadar önemli olduğunu gösteriyor. Olayın, dedektiflerimizi daha ademimerkeziyet usulüyle çalışırken görmek isteyenlere bir cevap niteliği taşıdığını düşünmeden edemiyoruz; böylesi aynı zamanda araştırmakla görevli oldukları davalarda daha etkili ve daha yakın müdahale edebilme imkanı tanıyor.

"Harika değil mi!" dedi Holmes, kahve bardağının üzerinden gülümseyerek. "Ne düşünüyorsun?"

"Cinayetle ilgili olarak tutuklanmadığımız için şanslı olduğumuzu düşünüyorum."

"Ben de. Ama bir sonraki enerji patlamasında güvenliğimizi garanti edemem doğrusu."

Bu sırada kapı çalındı ve ev sahibemiz Bayan Hudson'un sitem eden dehşet dolu sesini duydum.

"Tanrı aşkına, Holmes," dedim ayaklanarak, "sahiden de peşimizdeler galiba."

"Hayır, o kadar kötü değil. Gayriresmi bir güç bu –Baker Caddesi güçleri."

O konuşurken, merdivenlerde çıplak ayakların sesi duyuldu, gürültülü takırtılar işittik ve bir düzine kadar kirli ve hırpani, dilenci görünümlü bir grup içeriye doluştu. Her ne kadar içeri düzensiz girseler de, derhal tek sıraya girmişlerdi ve bir düzen almışlardı; ümitli gözlerle bize bakıyorlardı. Diğerlerinden daha uzunca ve yaşlıca olanı, adı kötüye çıkmış bir küçük korkuluk gibi çok komik bir üstünlük havasıyla bir adım öne çıktı ve,

"Mesajınızı aldım, efendim," dedi, "hemen toparlayıp geldim herkesi. Biletler için üç şilin ve altı peni."

"Al bakalım," dedi Holmes, birkaç gümüş uzatarak. "Sana bir şeyler bildirirlerse, sen de bana bildireceksin Wiggins. Evi böyle istila etmenize göz yumamam. Fakat hepinizin talimatları birinci ağızdan duyması için, iyi de oldu bir bakıma. Seher adında bir istimbotu her neredeyse bulmanızı istiyorum, sahibi Mordecai Smith, istimbot siyah renkli ve kırmızı şeritli, bacası siyah beyaz. Nehirde bir yerlerde olacak. Mordecia Smith'in Millbank'ın karşısında karaya çıkacağı yerde birinin bulunmasını istiyorum, eğer tekne geri gelirse haber versin diye. Görev taksimini aranızda yapın ve her iki kıyıyı adamakıllı arayın. Haber alır almaz da bana bildirin. Anlaşıldı mı?"

"Evet efendim," dedi Wiggins.

"Ödeme eskisi gibi olacak, tekneyi ilk bulana da yirmi bir şilin ödül var. Bir günlük paranız, işte. Haydi, dağılın şimdi!"

Her birine birer şilin verdi ve adamlar merdivenlerden aşağı vızıldayarak indiler, bir dakika sonra hepsini caddeyi istila etmiş gördüm.

"Eğer tekne nehrin üstündeyse, onu bulurlar," dedi Holmes, masadan kalkıp, piposunu yakarken. "Her yere gidebilir, her şeyi görebilir, her şeyi duyabilirler. Akşam olmadan yerini tespit edeceklerini umut ediyorum. Bu arada, sonuçları beklemekten başka yapabileceğimiz bir şey yok. Seher'i ya da Bay Mordecai Smith'i bulana dek, iz sürmeye devam edemeyiz."

"Toby bu kırıntıları yiyebilir sanırım. Yatacak mısın, Holmes?"

"Hayır, yorgun değilim. İşten ötürü bir kez bile yorulduğumu hatırlamıyorum, gelgelelim aylaklık beni tamamen yoruyor. Biraz tüttürecek ve haklı müşterimin bize sunduğu bu acayip mesele üzerinde düşüneceğim. Eğer dünyada kolay ödevli insanlar varsa, bunlar biziz. Tahta bacaklı adamlardan da pek yok piyasada, ama diğer adam, tamamen özel olmalı."

"Yine diğer adam!"

"Her neyse, onu senin için bir gizeme dönüştürmeyi düşünmüyorum. Ama kendi fikrini kendin oluşturmalısın. Şimdi, verileri değerlendir. Küçücük ayak izleri, çizmelerle şekillenmemiş parmaklar, çıplak ayaklar, taş başlı gürz, müthiş atiklik, küçük zehirli dikenler. Bütün bunlardan ne çıkarıyorsun?"

"Bir vahşi!" dedim. "Belki de Jonathan Small'un ortağı Hintlilerden biridir."

"Sanmam," dedi. "Tuhaf cinayet aletini gördüğümde ben de böyle düşünmeye meyletmiştim, ama ayak izlerinin dikkate değer niteliği, görüşlerimi gözden geçirmemi sağladı. Hindistan yarımadasındaki bazı yerliler ufak tefektir, ama yine de hiçbiri böyle izler bırakmaz. Hint yerlilerinin ayakları uzun ve incedir. Sandalet giyen Müslümanların baş parmakları diğer parmaklarından çok daha büyüktür çünkü tokyolar ayırır onları. Bu ufak oklar da, tek bir türlü atılmış olabilir. Üfürük borusuyla. Şimdi, katilimizi nereden bulacağız?"

"Güney Amerika," diye tahmin yürüttüm.

Elini kaldırdı ve kütüphaneden büyük bir cilt aldı.

"Bu, yeni yayımlanan bir yer adları sözlüğünün ilk cildi. En güncel ve en güvenilir otorite olarak kabul edebiliriz onu. Ne var elimizde bir bakalım. Andama Adaları, Bengal Körfezi'ndeki Sumatra Adaları'nın 340 mil kuzeyinde yer alır. Hımm. Hımm. Bütün bunlar ne olabilir? Nemli iklim, mercan kayalıkları, köpekbalıkları, Blair Limanı, suçlu kışlaları, Rutland Adaları, pamuk –Ah, işte!

"Andama Adaları'nın asıl yerlileri, belki de yeryüzünün en küçük ırkı olarak dikkat çeker, gelgelelim bazı antropologlar bu unvana Afrikalı çalı-adamlarını, Amerika'nın Digger Kızılderililerini ve Terra del Fuegianları layık görürler. Ortalama uzunlukları dört fitten aşağıdır, bununla birlikte, yetişkinler arasında bundan çok daha kısa boylu olanları da bulunur. Vahşi, somurtkan ve inatçı insanlardır, fakat bir kez güvenleri kazanıldı mı, en sadık arkadaşlıkları kurmakta ebildirler.

"Bunu aklında tut Watson. Şimdi, şunu dinle."

"Doğuştan iğrenç görünümlüdürler; kocaman, şekilsiz kafaları vardır; vahşi gözleri küçük, yüz çizgileri bozuktur. Elleri ve ayakları dikkate değer ölçüde küçüktür. O kadar vahşi ve inatçıdırlar ki, İngiliz görevlilerin ıslahat çabaları tamamen başarısız olmuştur. Gemi kazası geçirmiş mürettebata karşı her zaman için tehdit teşkil etmişlerdir, taş kafalı sopalarıyla başlarına vururlar

ya da zehirli oklarıyla onları avlarlar. Böylesi kıyımların peşinden yamyam ziyafetleri gelir.

"Hoş, canayakın insanlar Watson! Eğer bu adam kendi yöntemlerini kullansaydı, hikâyemiz çok daha korkunç bir hal alabilirdi. Düşünüyorum da, Jonathan Small bile, onlara iş vermeyerek iyi bir şey yapmış olurdu."

"Fakat böylesi ayrıksı bir ortağı nereden buldu?"

"Ah, bu söyleyebileceğimden fazlasını isteyen bir soru. Small'un Andamalardan geldiğini bildiğimiz için, bu ada yerlisinin de onunla birlikte olması çok şaşırtıcı değil. Kuşkusuz yakında her şeyi öğreneceğiz. Buraya bak Watson; tamamen bitmiş görünüyorsun. Oraya, kanepeye uzan ve bak bakalım seni uyutabilecek miyim?"

Köşede duran kemanını aldı ve ben uzanırken, hafif, düşlere hitap eden, ahenkli bir hava çalmaya başladı –kendi bestesiydi şüphesiz, çünkü müthiş bir doğaçlama yeteneği vardı. Sıska uzuvlarını çok flu hatırlıyorum, ciddi ve kararlı yüzünü, yayının yukarı aşağı süzülüşünü... Ardından, kendimi rüyalar âleminde buluncaya dek, yumuşak bir sesler denizinde huzurla yüzdüm durdum, gözümün önünden gitmeyen Mary Morstan'ın tatlı yüzüyle...

IX. Bölüm

ZİNCİRDE BİR KIRILMA

Uyandığımda daha dinç ve güçlü idim, vakit de ikindiyi bulmuştu. Sherlock Holmes, uykuya dalarken onu en son nasıl gördüysem aynı haldeydi; yalnız kemanını bırakmış, bir kitaba dalmıştı. Ben kıpırdanınca şöyle bir baktı, o anda suratının asık olduğunu gördüm.

"İyi uyudun," dedi. "Konuşmalarımız seni uyandırır diye korkmuştum."

"Hiçbir şey duymadım," dedim. "Demek yeni haberler var?"

"Maalesef, yok. İtiraf etmeliyim ki şaşkınım ve hayal kırıklığına uğradım. Bu zamana kadar bir şeylerin olmasını bekliyordum. Wiggins biraz önce rapor vermek için geldi. İstimbottan hiç iz yokmuş. Sinir bozucu bir haber; nitekim geçen her saat önemli."

"Yapabileceğim bir şey var mı? Gayet iyiyim şu anda, bu gece çıkmak için tamamen hazırım."

"Hayır; yapabileceğimiz hiçbir şey yok. Sadece bekleyebiliriz. Eğer çıkarsak, biz yokken haber gelebilir ve daha çok zaman kaybederiz. Eğer yapacakların varsa, serbestsin, ama benim ayrılmamam gerek."

"Öyleyse Camberwell'e gideceğim ve Bayan Cecil Forrester'a uğrayacağım. Dün çağırmıştı."

"Bayan Cecil Forrester'a mı?" diye sordu Holmes, gözlerinde muzip bir ışıltıyla.

"Evet, Bayan Forrester'a. Neler olduğunu duymak için sabırsızlanıyorlardır."

"Ben olsam pek bir şey anlatmazdım," dedi Holmes. "Kadınlara asla tamamen güvenemezsin –en iyilerine bile."

Bu acımasız fikir üzerinde tartışmak istemedim.

"Bir iki saat içinde dönerim," dedim.

"Pekâlâ, iyi şanslar! Ama, nehri geçiyorsan Toby'yi de bırakıver, çünkü artık ona ihtiyacımız olacağını sanmıyorum."

Hayvancağızı aldım ve yarım altınla Pinchin Yolu'ndaki yaşlı doğabilimciye doğru yola koyuldum. Camberwell'de, Bayan Morstan'ı geceki maceralardan ötürü biraz bitkin fakat haberleri almak için gayet istekli buldum. Bayan Forrester da çok merak ediyordu neler olup bittiğini. Yaptıklarımızı bir bir anlattım ama trajedinin dehşetli ayrıntılarını sakladım. Böylece, Bay Sholto'nun ölümünden söz etsem de onun nasıl öldürüldüğünü filan söylemedim. Ne kadar atlasam, eksik bıraksam da, naklettiğim kadarı onları şaşırtmaya, gözlerini yaşartmaya yetti.

"Başbayağı bir roman!" diye bağırdı Bayan Forrester. "Yaralı bir bayan, yarım milyonluk bir hazine, siyahî bir yamyam ve tahta bacaklı bir kabadayı. Geleneksel 'ejderha ve lanetli kont' hikâyesinin bir başka türlüsü."

"Ve kurtarmak için gelen iki şövalye," diye ekledi Bayan Morstan, bana parıltılı bir bakış atarak.

"Geleceğiniz bu araştırmanın sonucuna bağlı, Mary. Bence yeterince heyecanlanmış değilsiniz. Bu kadar zengin olmanın ve dünyanın ayaklarınız altına serilmesinin ihtişamını düşünün bir!"

Söylenenlere hiçbir ilgi göstermemesi, kalbimdeki sevince heyecan kattı. Bilakis, sanki bu mesele çok az ilgisini çeken bir şeymiş gibi, gururlu başını şöyle bir geri attı ve,

"Ben sadece Bay Thaddeus Sholto için kaygılanıyorum," dedi. "Başka bir şeyin pek önemi yok doğrusu; bence çok iyi yürekli ve şerefli bir kimse gibi hareket etti. Bu berbat ve mesnetsiz ithamlardan onu aklamak, bizim görevimizdir."

Camberwell'den ayrıldığımda akşam olmuştu, eve döndüğümde de hava tamamen kararmıştı. Arkadaşımın kitabı ve piposu, sandalyesinin yanında duruyordu, kendisi ise ortalarda yoktu. Bir not bulma umuduyla etrafa bakındım ama not filan göremedim.

"Sanırım Bay Sherlock Holmes dışarı çıkmış," dedim panjurları kapatmak için yukarı çıkan Bayan Hudson'a.

"Hayır, efendim. Odasına çekildi efendim. Biliyor musunuz efendim," dedi, etkileyici bir fısıltıyla, "sağlığı için endişeleniyorum."

"Niçin, Bayan Hudson?"

"Çünkü biraz tuhaf, efendim. Siz gittiğinizde odanın içinde yürüdü durdu, yürüdü durdu, ta ki ben ayak seslerinden bıkana dek. Sonra onu kendi kendine konuşurken ve mırıldanırken duydum; her zil çaldığında merdivenlere çıkıp, 'Bu neydi Bayan Hudson?' diye soruyordu. Şimdi de odasına kapandı, ama yine aynı şekilde yürüdüğünü işitebiliyorum. Umarım hastalanmaz, efendim. Sakinleştirici ilaçlardan salık vereyim dedim ama bana öyle bir baktı ki, odadan nasıl çıkacağımı şaşırdım."

"Tasalanmanızı gerektirecek bir şey olduğunu sanmıyorum, Bayan Hudson," dedim. "Onu daha önce de böyle gördüm ben. Zihninin dinlenmesine izin vermeyen bazı şeyler var aklında."

Kıymetli evsahibemizi yatıştırmaya çalışsamda, aslında nedense gece boyunca, adımlarının sıkıcı sesine yansıyan onun güçlü ruhunun bu istemdışı hareketsizliğe verdiği tepkilerden ben de tedirgin oldum.

Kahvaltı zamanı yorgun ve bitkin görünüyordu, iki yanağında da kızarıklıklar vardı.

"Kendine eziyet ediyorsun, yaşlı adam," dedim. "Gece boyunca volta attın."

"Hayır, uyuyamadım," diye yanıtladı. "Bu iğrenç mesele canımı sıkmaya başladı. Onca şeyi aştıktan sonra bu kadar önemsiz bir engelle durdurulmak, fazla kötü. Adamları biliyorum, istimbotu biliyorum, her şeyi biliyorum; yine de haber alamıyorum. Başka kişiler de soktum devreye, tüm tasarrufumu kullandım. Bütün nehir, iki tarafından da baştan aşağı arandı, gelgelelim ne bir gelişme var, ne de Bayan Smith kocasından haber almış. Sonunda istimbotu batırdıkları sonucuna varacağım. Fakat bu sonuca varmak için de maniler var."

"Ya da Bayan Smith bizi yanlış ize sürdü."

"Hayır, bunu çoktan eledim. Araştırmalar yaptım ve böyle bir istimbotun sahiden de var olduğunu öğrendim."

"Nehirden çıkmış olamaz mı?"

"Bu ihtimali de düşündüm, Richmond'a kadar her yeri arayan çılgın bir araştırma ekibi de var. Eğer bugün haber gelmezse, yarın ben bizzat başlayacağım ve teknenin değil, doğruca adamların peşine düşeceğim. Fakat elbette, elbette, bir şeyler duyacağız."

Gelgelelim duyamadık. Ne Wiggins'den, ne de diğerlerinden tek bir haber geldi. Norwood trajedisi üzerine gazetelerde bir sürü yazı çıktı. Hepsi de zavallı Thaddeus Sholto'ya saldırıyordu. Gazetelerde hiçbir yeni ayrıntı yoktu, ertesi gün bir soruşturma başlatılacağı dışında hiçbir şey söylenmiyordu. Başarısızlığımızı bayanlara haber vermek için, akşamleyin Camberwell'e gittim, dönüşte Holmes'u keyifsiz ve somurtkan buldum. Sorularıma nadiren cevap verdi, bütün akşam boyunca, karnilerin ısınması ve buharın damıtılması üzerine anlaşılması güç bir kimyasal analizle meşgul oldu, bu analiz de sonunda beni daireden dışarı çıkartacak kadar kuvvetli bir kokuyla sonuçlandı. Sabahın erken saatlerine kadar, deney tüplerinin tıkırtısını duydum, ki bu da hâlâ pis kokulu deneyini sürdürmekte olduğu anlamına geliyordu.

Şafak söker sökmez uyandığımda, onu yatağımın başucunda görünce doğrusu şaşırdım; göğsü çift düğmeli kalın yünden kaba bir gemici elbisesi giymiş, boynuna da yine kaba, kırmızı bir eşarp sarmıştı.

"Nehre iniyorum, Watson," dedi. "Düşündüm taşındım ve bunun tek açıklamasını buldum. Denemeye değer."

"Elbette seninle gelebilirim, değil mi?" diye sordum.

"Hayır, eğer mümessilim olarak burada kalırsan çok daha yararlı olabilirsin. Gitmekte isteksizim, çünkü, her ne kadar Wiggins dün gece bu konuda ümitsiz konuşmuş olsa da, bugün bazı haberler almamız kuvvetle muhtemel. Gelen tüm notları ve telgrafları aç, eğer haber gelirse de kendi inisiyatifinle değerlendir ve harekete geç. Sana güvenebilir miyim?"

"Elbette."

"Korkarım bana telgraf çekemeyeceksin, çünkü ben bile nerede olacağımı bilemiyorum. Şansım varsa çok uzun sürmez. Geri dönmeden şu ya da bu şekilde bazı haberler almış olacağım."

Kahvaltı zamanı hiç haber alamadım ondan. Gelgelelim, Standard gazetesini açınca, meseleye yeni bir boyut kazandıracak şu haberi gördüm:

Yukarı Norwood trajedisi ile ilgili olarak, bizi meselenin tahmin edildiğinden çok daha karmaşık ve gizemli olduğuna ikna edecek yeni gelişmeler var. Yeni kanıtlar, Bay Thaddeus Sholto'nun cinayetle ilişiği olmasının imkânsızlığını gösteriyor. Bununla birlikte, polisin elinde asıl suçlulara ulaşacak yeni ipuçları olduğu sanılıyor. Scotland Yard'ın ferasetli ve enerjik dedektifi Bay Athelney Jones tarafından araştırmalar sürdürülüyor. Her an başka tutuklamalar olabilir.

Şimdilik tatmin edici, diye düşündüm. Dostumuz Sholto nasıl olsa güvende. Her ne kadar polisin basmakalıp blöflerinden biri gibi görünse de, yeni ipuçlarının ne olduğunu merak ediyorum doğrusu.

Gazeteyi masanın üzerine yaydım, ama tam bu sırada gözüm taziye kolonundaki bir ilana takıldı:

Kayıp – *Kayıkçı Mordecai Smith ve oğlu Jim, geçen Salı sabahı saat üç sularında Smith'in İskelesi'nden Seher adlı, siyah boya üzerine kırmızı şeritli, siyah beyaz bacalı istimbotlarıyla ayrıldılar; nerede oldukları bilinmiyor. Mordecai Smith ve Seher adlı istimbot hakkında, Smith'in İskelesi'ne, ya da Baker Caddesi No:221B adresine haber verenlere beş poundluk ödül var.*

Kuşkusuz Holmes'un işiydi. Adres olarak Baker Caddesi'nin verilmesi, bunu kanıtlıyordu. Çok dâhice bir hamleydi, çünkü bu haber, firariler için kayıp kocasını arayan bir kadının doğal endişesinden fazlası anlamına gelirdi.

Uzun bir gündü. Ne zaman kapı çalsa ya da caddeden sert adımlarla biri geçse, Holmes'un döndüğünü ya da ilanına bir cevabın geldiğini sandım. Okumaktan yorulmuştum ama aklım sürekli tuhaf araştırmamıza ve peşine düştüğümüz acayip, alçak tabiatlı çifte kayıyordu. Arkadaşımın yürüttüğü mantıkta var olabilecek kusurları düşünüyordum. Kendine fazla mı güveniyordu? Uyanık ve spekülatif aklının bu geniş teoriyi yanlış öncüller üzerine kurmuş olması bir ihtimal değil miydi? Onun yanıldığını hiç görmemiştim, yine de en yaman akıl bile arada bir yanılabilirdi. Mantığının aşırı inceliğinden ötürü hataya düşmesi muhtemeldir, diye düşünüyordum –daha açık, düz ve alelade bir açıklama elinde dururken; daha tuhaf ve incelikli bir açıklamayı yeğlemesi. Diğer yandan, delilleri bizzat görmüştüm ve vardığı sonuçlara götüren sebepleri ondan dinlemiştim. Dönüp uzun, tuhaf durumlar zinciri boyunca baktığımda, çoğunun kendi içinde önemsiz ama hepsinin aynı yöne meyilli olduğunu görmüştüm; Holmes'un açıklamaları yanlış olsa bile, gerçek teorinin aynı ölçüde şaşırtıcı ve acayip olacağını düşünmekten kendimi alamıyordum.

Öğleden sonra saat üç gibi, kapı zili birkaç kez art arda çaldı, koridorda buyurgan bir ses duyuldu; karşımda başkasını değil, Bay Athelney Jones'u görünce şaşırdım. Yukarı Norwood'da, davayı kendinden gayet emin bir tavırla üzerine alan kaba sağduyu profesörününkinden çok farklı bir haldeydi. Morali bozuktu ve tavrı fazla uysal, hatta özür diler gibiydi.

"İyi günler bayım, iyi günler," dedi. "Bay Sherlock Holmes dışarıda, anladım."

"Evet, ne zaman geleceğini de bilmiyorum. Ama belki beklemek istersiniz. Bir sandalye çekin ve şu purolardan bir deneyin."

"Teşekkür ederim, bekleyeyim," dedi, yüzünü kırmızı bir mendille kurularken.

"Viski soda?"

"Eh, yarım bardak alayım. Yılın bu vakti pek sıcak oluyor, ayrıca canımı sıkacak ve beni üzecek bir işim de var. Bu Norwood meselesi üzerine kurduğum teoriyi biliyorsunuz?"

"Anlattığınızı hatırlıyorum."

"Evet, onu yeniden düşünmeye mecbur kaldım. Ağımı Bay Sholto etrafına sımsıkı örmüştüm Bayım ama tam ortasından parçalandı. Suçun işlendiği sırada başka yerde olduğunu, tam bir kesinlikle kanıtladı. Kardeşinin odasından çıktıktan sonra, kimse onu görmemiş. Yani çatıya tırmanan ve o kapaktan içeri giren kişi o olamaz. Çok karanlık bir dava ve mesleki itibarım tehlikede. Biraz yardıma ne kadar minnettar kalırdım bilemezsiniz."

"Hepimizin zaman zaman yardıma ihtiyacı olur," dedim.

"Arkadaşınız Bay Sherlock Holmes harika bir adam, Bayım," dedi boğuk ve fısıltılı bir sesle. "Sırtı yere gelmeyecek biri. Böylesi iyi davalara giren o genç adamı tanıyorum ama henüz aydınlatamadığı bir davayla karşılaştığını görmedim. Yöntemleri sıradışı ve teoriler kurmakta belki biraz aceleci ama her şey göz önünde tutulduğunda, sanırım geleceği çok parlak bir polis olabilirdi, kimlerin bunu bildiği umurumda değil. Bu sabah ondan bir telgraf aldım, telgraftan anladığım kadarıyla Sholto işinde bazı ipuçları ele geçirmiş. İşte mesajı."

Cebinden telgrafı çıkardı ve bana uzattı. Saat on ikide, Poplar'dan çekilmişti.

Derhal Fırın Caddesi'ne git. Eğer dönmediysem, bekle. Sholto çetesinin izini sürüyorum. Eğer sonucu görmek istersen, gece bizimle gelebilirsin.

"İyi haber. Besbelli yine koku almış," dedim.

"Ah, o zaman yine hata ediyor," dedi Jones, aşikâr bir tatminkârlıkla. "Bazen en iyilerimiz bile hata yapar. Bu, elbette yanlış alarm olabilir ama bir kanun adamı olarak, hata yapmasına imkân vermemek görevim. Fakat kapı çalıyor. Belki de odur."

Merdivenlerden çıkan ağır adımlar duyuldu, çok tıkırtılı ve hırıltılı sesler çıkarıyordu, nefes almaksızın koşan biri gibi. Bir ya da iki kez durdu, sanki merdivenler ona fazla gelmişti, ama sonunda kapımıza yöneldi ve girdi. Görünüşü, işittiğimiz seslerin zihnimize çizdiği figürle örtüşüyordu. Sırtı kambur, bacakları sarsak, teneffüsü astımdan mustarip gibi idi. Meşeden sopasına yaslanırken, ciğerleri hava almak için büyük bir gayretle çabaladıkça, omuzları mütemadiyen inip kalkıyordu. Çenesinin altında renkli bir boyunbağı vardı ve tıraşı uzamış gri sakallarından dolayı, gür beyaz kaşları altındaki keskin kapkara gözleri dışında yüzüne dair pek az şey görebiliyordum. Bana, yıllar boyunca yoksulluk çekmiş saygıdeğer bir denizci gibi göründü.

"Sorun nedir adamım?" diye sordum.

Yaşlı insanların ağır yöntemiyle etrafına bakındıktan sonra,

"Bay Sherlock Holmes burada mıdır?" diye sordu.

"Hayır, ama onun adına ben varım. Ona bir haber vereceksen bana söyleyebilirsin."

"Kendisine söyleyeceğim," dedi.

"Fakat sana onun yerine burada olduğumu söyledim. Mordecai Smith'in teknesi ile mi ilgili?"

"Evet. Ben nerede olduğunu biliyorum. Peşine düştüğü adamların nerede olduğunu da. Hazinenin nerede olduğunu da biliyorum. Hepsini biliyorum."

"Öyleyse söyle bana, ben ona iletirim."

"Kendisine söyleyeceğim," dedi, ihtiyar insanlara özgü o aksi inatla.

"Öyleyse beklemelisin."

"Hayır, hayır, kimse için bütün bir gün kaybedemem. Eğer Bay Holmes burada değilse, öyleyse hepsini kendi başına bulmak zorunda. İkinizin de kim olduğu umurumda değil, bir tek kelime de söylemeyeceğim."

Kapıya doğru seğirtirken, Athelney Jones önüne geçti.

"Biraz bekle, dostum," dedi. "Önemli bilgilere sahipsin, öylece çıkıp gitmemelisin. Arkadaşımız dönene kadar, iste ya da isteme, seni alıkoymak durumundayız."

Yaşlı adam kapıya doğru atıldı, ama Athelney Jones geçit vermeyince, adam da direnmenin faydasız olduğunu anladı.

"Ne hoş davranışlar!" diye bağırıyordu, bastonunu yere vurarak. "Bir beyefendiyi görmeye geliyorum ve siz ikiniz, hayatımda hiç görmediğim iki kişi, beni alıkoyuyor ve bana böyle muamele ediyorsunuz!"

"Daha kötüsü de olabilirdi," dedim. "Kaybettiğin zamanı ödeyeceğiz. Oraya, kanepeye otur; uzun süre beklemek zorunda kalmayacaksın."

Öfke dolu ama sessiz bir ifadeyle, yüzünü elleri arasına alarak kanepeye oturdu. Jones ve ben purolarımızı tüttürürken, konuşmamıza devam ettik. Ansızın, Holmes'un sesi lafı boğazımıza tıktı:

"Sanırım bana da bir puro ikram edeceksiniz," dedi.

İkimiz de sandalyelerimizden kalktık. Holmes, yüzünde eğleniyormuş gibi bir ifadeyle yanı başımızda oturuyordu.

"Holmes!" dedim. "Sen buradasın. Peki ya ihtiyar adam nerede?"

"İşte ihtiyar adam," dedi, bir tutam beyaz saçı havaya kaldırarak. "İşte –peruk, bıyık, kaş, hepsi. Kılığımın oldukça iyi olduğunu düşünmüştüm, ama bu testi geçebileceğini sanmıyordum doğrusu."

"Ah, düzenbaz!" diye bağırdı Jones, çok sevinmişti. "Harika bir aktör olabilirdin. Islahevi öksürüğü ve sarsak bacaklarınla haftada on pound kazanırdın. Ama gözünün parıltısı tanıdık gelmişti. Gördüğün gibi, bizden bu kadar kolay kurtulamazsın."

"Bütün gün bununla uğraştım," dedi, purosunu yakarken. "Gördüğünüz gibi, suçla ilgili grupların çoğu beni artık tanıyor –özellikle de buradaki arkadaşımız davalarımdan bazılarını yaydığından beri; yani savaş meydanına ancak bunun gibi basit bir kılıkla gidebilirdim. Telgrafımı aldın mı?"

"Evet, o yüzden buradayım zaten."

"İşler nasıl gidiyor?"

"Hiçbir şey olduğu yok. Mahkûmlardan ikisini salıverdim, diğer ikisinin aleyhine de delil yok."

"Boşver. Onların yerine sana başka iki tane veririz. Ama benim emrim altında çalışmalısın. Evet, kanun adına tüm yetki sende, ama benim gösterdiğim çizgileri izleyeceksin. Tamam mı?"

"Olur. Eğer bana yardım edecekseniz."

"Pekâlâ, öyleyse, ilk olarak, hızlı bir polis teknesi istiyorum –bir istimbot- saat tam yedide, Westminster Stairs'de olacak."

"Kolay. Oralarda hep bir tane vardır ama emin olmak için yolun karşısından telefon etmem gerek."

"Eğer direnişle karşılaşırsak diye, iki tane tayfa istiyorum."

"İki ya da üç tane vardır teknede. Başka?"

"Adamları ele geçirdikten sonra hazineyi alacağız. Sanırım arkadaşım için, bayana, yarısına hukuken sahip olduğu hazineyi götürmek, büyük memnuniyet verecektir. İlkin o açsın hazineyi. Değil mi, Watson?"

"Benim için büyük saadet olur."

"Yasadışı bir işlem daha," dedi Jones, kafasını sallayarak. "Gelgelelim, bütün mesele zaten yasadışı, sanırım görmezlikten gelmek zorundayız. Hazine, bunun ardından, resmî tahkikatlar için yetkililere teslim edilmelidir."

"Elbette. Kolay. Başka bir şey daha: bu konu hakkında Jonathan Small'un dudaklarından başka ayrıntılar duymuş olmaktan çok daha hoşnut olacağım. Bilirsiniz, kovaladığım davaların ayrıntıları üzerinde çalışmayı severim. Etkili bir şekilde korunduktan sonra, onun hücresinde ya da başka bir yerde, onunla gayri-resmi bir görüşme yapmama bir itiraz yok, değil mi?"

"Eh, patron sensin. Bu Jonathan Small'un varlığı hakkında henüz elimde bir delil bile yok. Yakalayabilirsen, onunla bir görüşme yapmana niçin engel olayım?"

"Anlaşıldı öyleyse?"

"Tamam. Başka?"

"Sadece akşam yemeğini bizimle yemeni isteyeceğim. Yarım saat içinde hazır olur. İstiridye ve ormantavuğu var, yanında çok zengin olmasa da, beyaz şarap çeşitleri. Watson, henüz aşçılık meziyetlerimi bilmiyorsun."

X. Bölüm

ADALININ SONU

Neşeli bir yemekti. Holmes, istediğinde çok fazla konuşabilen biriydi, o gece de istedi. Gergin bir coşkunlukla dolu gibi görünüyordu. Onu hiç bu kadar dâhice görmemiştim. Bir sürü şeyden bahsetti çabucak –sihirbazlık numaralarından, ortaçağ çömlekçiliğinden, Stradivarius kemanlarından, Sri Lanka Budizminden ve geleceğin savaş gemilerinden söz etti –her bir konuyu, sanki üzerinde özellikle çalışmış gibi ele alıyordu. Parlak mizah yeteneği önceki günlerin kara bunalımına bir tepki olarak belirginleşti. Athelney Jones, istirahat saatlerinde sosyal bir kişi gibi davrandı ve boğazına düşkün biri gibi yemeğini yedi. Şahsım adına, görevimizin sonuna yaklaştığımız için çok sevinçliydim ve Holmes'un neşesini de görebiliyordum. Hiçbirimiz, yemek süresince bizi bir araya getiren mesele hakkında en ufak bir imâda bile bulunmadık.

Ortalık toparlanınca, Holmes saatine bir baktı ve üç bardağı da porto şarabıyla doldurdu.

"Tek kadeh," dedi, "küçük serüvenimizin başarılı sonunu kutlamak için. Evet, şimdi gitme zamanı yaklaşıyor. Watson, silahın var mı?"

"Masamda vefakâr revolverim duruyor."

"Onu al iyisi mi. Hazırdır. Araba kapıya geldi. Altı buçukta gelmesini söylemiştim."

Westminster iskelesine vardığımızda, saat yediyi biraz geçmişti, istimbotumuz bizi bekliyordu. Holmes, eleştirel gözlerle baktı ve,

"Polis teknesi olduğunu belli eden bir şey var mı üzerinde?" diye sordu.

"Evet, şu yandaki yeşil fener."

"Öyleyse kaldırın."

Küçük değişiklik yapıldı, bordaya çıktık ve halatlar alarga edildi. Jones, Holmes ve ben, kıç tarafında oturuyorduk. Dümende bir adam, makinede bir adam ve ileride de iki iri kıyım polis müfettişi vardı.

"Nereye?" diye sordu Jones.

"Kuleye. Jacobson'un yerinin tam karşısında durmalarını söyle."

Teknemiz çok hızlıydı. Uzun sıralar oluşturmuş yüklü mavnaların yanından, sanki onlar duruyormuşçasına hızla geçiyorduk. Bir nehir vapurunun arkasından gelip onu geçince, Holmes tatminkârlıkla gülümsedi.

"Nehirdeki herhangi bir şeyi yakalayabilecek hızda olmalıyız," dedi.

"Eh, pek öyle sayılmaz. Ama bizi atlatacak pek fazla tekne de yoktur."

"Seher'i yakalamak zorundayız, ismine bakarsak hızlı bir yelkenli olmalı. Sana karanın nasıl uzandığını göstereceğim, Watson. Bu kadar küçük bir şeyle engellenmiş olmaktan ötürü nasıl sinirlendiğimi hatırlıyorsun, değil mi?"

"Evet."

"Bir kimyasal analiz içine dalarak, zihnime adamakıllı bir istirahat verdim. Büyük devlet adamlarımızdan biri, iş değişiminin en iyi dinlenme olduğunu söylemiştir. Üzerinde çalıştığım hidrokarbonu eritmekte başarılı olunca, Sholto meselesine ve dolayısıyla bütün davaya geri döndüm. Adamlarım nehri baştanbaşa taramış ve hiçbir şey bulamamışlardı. İstimbot herhangi bir iskele ya da rıhtımda değildi, geri de dönmemişti. Yine de, her ne kadar diğer tüm hipotezler çürüdüğünde, olası bir hipotez olarak kalsa da, izlerini kaybettirmeleri düşünülmeyecek bir sonuçtu. Small adlı bu adamın, enikonu belli bir kurnazlık seviyesinin üstünde olduğunu biliyordum ama incelikli bir ustalık gösterecek kabiliyette olduğunu yadsıyordum. Bu, genellikle iyi eğitim görmüş birinin ürettiği türde bir çözümdür. Sonra, bu adamın kesinlikle bir süre için Londra'da kalacağını düşündüm –nitekim Pondicherry Pansiyonu'nu sürekli gözetlediğini biliyoruz, yani bir yerlerde kalıyordu- bir anda ayrılamazdı, ama işlerini yoluna koymak için, bir gün bile olsa, zamana ihtiyacı vardı. Neyse, bu bir olasılık hesabıydı."

"Biraz havada görünüyor," dedim, "çıkacağı yolculuktan önce işlerini yoluna koymuş olması daha muhtemel."

"Hayır, öyle düşünmüyorum. Gizli barınağı, artık ona ihtiyacı kalmadığına emin olana dek, yani vazgeçmek zorunda kalışını hesaba katarsa, fazla değerliydi. Gelgelelim, kafamı kurcalayan ikinci bir fikir vardı. Jonathan Small, arkadaşının fiziksel görünüşünün ne kadar istisnai olduğunu anlamış olmalıydı ve her ne kadar baştan ayağa giydirse de, söylentilere sebebiyet vereceğini ve muhtemelen bu Norwood trajedisiyle ilişkilendirileceğini biliyordu. Bunu düşünebilecek kadar zeki. Saklandıkları yerden karanlıkta çıkmaları gerekiyordu, gün ışımadan da geri dönmek isteyecekti. Şimdi, Bayan Smith'in söylediklerine bakılırsa, istimbota bindikleri vakit, saat üçü geçiyordu. Yeterince aydınlıktı ve yaklaşık bir saat içinde, insanlar etrafta görünmeye başlayacaklardı. Bu yüzden, fazla uzağa gitmiş olamayacaklarında direttim. Smith'e iyi bir sus payı verip çenesini kapattılar, istimbotunu kaçış için ısmarladılar ve her nerede kalıyorlarsa, aceleyle hazine sandığıyla oraya seğirttiler. Birkaç gece içinde, gazetelerin de ne yazdığına bakacaklar ve eğer herhangi bir şüphelenme varsa, karanlıktan yararlanarak Gravesend ya da Downs'daki herhangi bir gemiye binecekler, sonra da, hâlihazırda Amerika ya da Koloniler için ayarlamış oldukları yolculuklarını yapacaklardı."

"Fakat istimbot? Onu da kaldıkları yere sokmuş olamazlar elbette?"

"Tabii ki. Ortalıkta görünmese de, çok uzakta olamayacağında direttim istimbotun. Sonra kendimi Small'un yerine koydum ve o kapasitedeki bir insanın gözüyle baktım. Şayet, istimbotu geri yollayacak ya da bir iskeleye demirletecek olursa polisin peşine düşmesi ve izini kolaylıkla bulması kaçınılmazdı. Öyleyse istimbotu nasıl istediğinde kullanacak şekilde saklayabilecekti? Onun yerinde olsam ne yapardım diye düşünüyordum. Sadece tek bir yolu vardı. İstimbotu bir tekne tamircisine götürür, üzerinde değişiklikler yapmasını isterdim. O zaman istediği yerde tutabilirdi, hem gayet iyi saklamış, hem de istediği zaman kullanacak hale getirmiş olurdu."

"Yeterince açık ve basit."

"Gözden kaçmaya müsait olanlar da böylesi açık ve basit şeylerdir. Gelgelelim, bu fikrin peşinden ilerlemeye kararlıydım. Derhal bu zararsız adamın kılığına girdim ve nehrin aşağısındaki her yeri soruşturdum. Çaldığım on beş kapıdan işe yarar bir şey öğrenemedim, ama onaltıncısından –Jacobson'dan– Seher adlı istimbotun iki gün önce tahta bacaklı bir adam tarafından dümeni ile ilgili birkaç önemsiz ayrıntının değiştirilmesi için onlara bırakıldığını öğrendim. 'Dümende bir yaramazlık yoktu aslında,' dedi ustabaşı. 'Orada duruyor işte, kırmızı şeritleri olan.' Tam da bu sırada teknemizin kayıp sahibi Mordecai Smith gelmesin mi! Buram buram likör kokuyordu. Elbette onu tanımıyordum, ama kendinin ve istimbotunun adını söyledi. 'Akşam saat tam sekizde istiyorum,' dedi, 'tam olarak sekizde istiyorum çünkü bekletilmekten hazzetmeyen iki beyefendi misafirimdir.' Besbelli ona iyi ödeme yapmışlardı, çünkü üzerinde epey para taşıyordu, adama birkaç şilin attı. Onu biraz takip ettim, ama birahaneye girdi; ben de tersaneye döndüm, yolda da adamlarımdan biriyle karşılaştım, onu istimbota nöbetçi diktim. Su kıyısında bekleyecek ve onlar yola çıktığında mendilini sallayacak. Akıntı bizden yana ve adamlarla hazineyi yakalayamazsak sahiden çok üzülürüm."

"Hepsini pekâlâ planlamışsın, doğru adamlar mı, yanlış adamlar mı..." dedi Jones, "ama mesele benim kontrolümde olsaydı, Jacobson'un yerine bir polis diker, onlar geldiğinde de hepsini tutuklardım."

"Asla yapamazdın. Bu Small denen adam, sahiden de kurnaz. Önden bir öncü gönderecek ve eğer şüphelenilecek bir şey varsa, bir hafta daha beklemeyi göze alacaktır."

"Ama Mordecai Smith'e yapışabilir, onların gizli barınaklarını böylece öğrenebilirdin," dedim.

"O defa da günümü harcamış olurdum. Çünkü bence Smith'in onların nerede yaşadığını bilme ihtimali yüzde bir. Likör ve iyi para olduğu sürece, neden soru sorsun ki? Ona ne yapması gerektiğini ancak haber veriyorlardır. Hayır, mümkün bütün yollar üzerinde düşündüm, izleyeceğimiz bu güzergâh en iyisi."

Bu konuşma sürerken, Thames'in üzerinden geçen köprüler sırasına gelmiştik. Şehri geçerken, güneşin son ışıkları Aziz Paul Kilisesi'nin tepesinden süzülüyordu. Alacakaranlıkta kuleye ulaştık.

"Jacobson'un yeri burası," dedi Holmes, dikilmiş gemi direklerini ve donanmayı işaret ederek. "Bu lambaların ışığı altında hafifçe devriye gezin." Cebinden gece gözlüklerini çıkardı ve bir müddet kıyıyı izledi. "Nöbetçim görev mahallinde," dedi, "ama mendil salladığı yok daha."

"Belki de aşağı doğru biraz gidip orada pussak daha iyi," dedi Jones, istekli.

Bu defa neler olduğunu doğru düzgün bilmeyen polisler ve ateşçiler bile, hepimiz istekliydik.

"Hiçbir şey garanti değil," dedi Holmes. "Akıntıya doğru gidecekleri bire on, ama yine de emin olamayız. Buradan tersanenin girişini de görüyoruz ama onlar bizi güçlükle görebilir. Açık bir gece olacak ve çok ışık var. Olduğumuz yerde kalmalıyız. Gaz ışığı altında kaynaşan şu insanlara bakın."

"Tersane işçileri. İşten dönüyorlar."

"Kötü görünüşlü keratalar. Ama herkesin içinde saklı bir ölümsüzlük kıvılcımı vardır, eminim. Onlara baksanız bu aklınıza bile gelmez. Önsel bir ihtimal yoktur. Ne tuhaf bir muammadır insan!"

"Biri, insan için ruhlu hayvan demiş," dedim.

"Winwood Reade bu konuda iyidir," dedi Holmes.

"Birey, her ne kadar çözülemez bir muamma olsa da kollektifler oluşturması halinde matematik bir kesinlik kazanır. Sözgelimi, herhangi bir insanın ne yapacağını önceden söyleyemezsiniz ama kesinlikle, ortalama bir yığının nereye varacağını söyleyebilirsiniz. Bireyler değişir ama oranlar sabittir. İstatistikler de öyle. Ama, bir dakika. Mendili gördüm sanırım. İşte, şurada beyaz bir çırpıntı!"

"Evet, senin adamın," dedim. "Açık seçik görebiliyorum."

"Ve işte 'Seher'," dedi Holmes, "şeytan gibi gidiyor! Tam yol ileri, motorcu! Sarı ışıklı istimbotu takip et. Tanrı aşkına, eğer bizi atlatırsa kendimi hiçbir zaman affedemem!"

Tersanenin çıkışına dek görünmemiş ve iki ya da üç küçük teknenin arasından geçmişti; yani biz onu fark ettiğimizde, hızını çoktan almıştı. Şimdi akıntıda, kıyıya yakın seyrediyor, müthiş bir hızla kayıp gidiyordu. Jones, tekneye ciddiyetle baktı ve kafasını salladı.

"Çok hızlı," dedi. "Yakalayabileceğimizden şüpheliyim."

"Yakalamalıyız!" diye söylendi Holmes, dişlerinin arasından. "Yardırın, ateşçiler! Zorlayın! Tekneyi yakmak pahasına onları yakalayalım!"

Tam arkasındaydık şimdi. Büyük ocaklar kükrüyor ve güçlü motorlar dev bir mekanik kalp gibi tangır tungur atıyordu. Keskin, sarp pruvası durgun nehir suyunu yarıyor ve her iki tarafımıza dalgalar yolluyordu. Motorların her hırıldayışında, tekne yaşayan bir şeymiş gibi sarsılıyor ve biz titriyorduk. Pruvamızdaki büyük, sarı renk fener, önümüze titrek bir ışık huzmesi yayıyordu. İleride sağda, suyun üzerindeki karanlık bulanıklık, Seher'in nerede olduğunu ve arkasında bıraktığı beyaz köpükler, ne hızda gittiğini anlamamızı sağlıyordu. Mavnaların, istimbotların, ticari teknelerin yanından, arasından, içinden geçtik. Sesler yağıyordu üzerimize karanlığın içinden, ama Seher gümbür gümbür gidiyordu ve biz de yakından izini sürüyorduk.

"Bırakmayın, tepeleme doldurun ocakları!" diye bağırıyordu Holmes, makine odasına. Bu arada keskin bakışı, istekli ve kartal suratını gölgeliyordu. "Elinizden gelenin en iyisini yapın! Her santimetreküp buhar önemli!"

"Biraz yaklaştık sanırım," dedi Jones, gözleri Seher'de.

"Eminim," dedim. "Birkaç dakika içinde yakalayacağız."

Fakat tam bu anda, lanetli talihimize bakın ki, üç mavnayı yedeğine almış giden bir römorkör, aramıza girdi. Dümeni tam kırarak, çarpışmadan ancak kurtulabildik ve etraflarından dolanıp tekrar yolumuzu doğrultana kadar, Seher, arayı hilafsız iki yüz yarda kadar açmıştı. Yine de hâlâ gayet net görünüyordu. Kasvetli, belirsiz alacakaranlık yıldızlanan gökle biraz olsun aydınlanmıştı. Kazanlarımız, kapasitelerinin son sınırında işliyor ve zayıf teknemiz, bizi ileri süren şedit enerjiden ötürü zangırdıyor ve gacırdıyordu. Havuzu yardık, Batı India İskelelerini geçtik, uzun Deptford kıyıları boyunca ilerledik ve Köpek Adaları'nı da dolanarak aştıktan sonra tekrar açığa çıktık. Önümüzdeki koyu bulanıklık şimdi neredeyse tamamen çözülmüş ve Seher'in zarif görüntüsünü önümüze sermişti. Jones, fenerimizi teknenin üzerine doğrulttu, böylece güvertedeki herkesi görebiliyorduk artık. Bir adam kıçta, bacaklarının arasında üzerine eğildiği kara bir şeyle oturuyordu. Hemen yanında koyu renk bir kütle vardı;

bir Ternöv köpeğine benziyordu. Yekeyi bir çocuk tutuyordu ve büyük ocağın kırmızı yalımlarına karşı, yaşlı Smith'i görebiliyordum; teknenin belinde, canla başla kömür kürüyordu. Görünen o ki, ilkin sahiden onları izleyip izlemediğimizden şüpheliydiler, fakat nereye yönelseler tam arkalarında olduğumuzdan, artık kuşkuları kalmamıştı. Greenwich'te, aramızda üç yüz adım kalmıştı. Blackwall'da, iki yüz elliden fazla değildi. Değişik olaylarla dolu kariyerimde, birçok ülkede birçok yaratıklar kovalamıştım, fakat hiçbir spor bana, Thames nehri boyunca uçarcasına sürdürdüğümüz bu çılgın adam avı kadar vahşi bir heyecan vermemişti. Kararlı bir şekilde, tedricen, yarda yarda yaklaşıyorduk. Gecenin sessizliğinde, makinelerinin nefes nefese çarpıntısını işitebiliyorduk. Kıçtaki oturan adam, güverteye eğilmiş halde oturmaya devam ediyor, sanki meşgulmüş gibi kolları sürekli işliyor; bu arada her an kafasını çevirip şöyle bir bakarak aramızdaki gitgide kapanan mesafeyi ölçüyordu. Yaklaştık ve yaklaştık. Jones, onlara durmalarını buyurdu bağırarak. En fazla dört tekne boyu uzaklık kalmıştı aramızda; iki tekne de son sürat ilerliyordu. Melankolik görünümlü Plumstead Bataklıkları bir yanda, Barking Level diğer yanda, nehrin açık bir yerindeydik. Jones'un bağırmasına, kıçtaki adam kalktı ve yüksek, çatlak bir sesle söverken sıkılmış yumruklarını bize doğru salladı. Gayet iri yarı, güçlü bir adamdı; fakat dengesini sağlamak için bacaklarını açtığında, sağ uyluğu altındaki tahta sırığı görebildim. Katı ve öfkeli haykırışları üzerine, güvertedeki kalabalıkta bir telaş havası esti. Küçük, siyahî bir adama bağırıyordu –adam, o zamana dek gördüğüm en ufak insandı- büyük, şekilsiz bir kafası ve kıvırcık, karmakarışık saçları vardı. Holmes çoktan silahını çekmişti, ben de bu vahşi, zalim yaratığı görünce benimkine davrandım. Siyah bir tür battaniye ya da uzun bir paltoya sarınmıştı, bu yüzden sadece yüzü görünüyordu ama bu surat, gören insana uykusuz bir gece geçirtebilecek kadar korkunçtu. Bu denli hayvani ve acımasız çizgilerin böylesine derin nakşedildiği bir suratı ilk defa görüyordum. Küçük gözleri ciddiyetle kor gibi parladı ve kalın dudakları dişlerinin üzerine çekildi. Bize sırıtırken, yarı hayvani denilebilecek bir tür öfkeyle, dişlerini takırdatmaya başladı.

"Eğer elini kaldırırsa, ateş et," dedi Holmes, sessizce.

Bu sırada aramızdaki mesafe bir tekne boyuna inmişti ve neredeyse onları uzansak tutabilecektik. Şimdi, ayakta duran bu iki kişiyi de net bir şekilde görebiliyordum; bacaklarını aralamış beyaz adam, lanetler yağdırıyor ve iğrenç suratlı meşum cüce, fenerimizin aydınlığında, bize dişlerini gıcırdatıyordu.

Bu kadar yakınlarındaydık işte. Biz ona böyle bakarken, o, üzerindeki örtünün altından, okul değneğine benzeyen kısa, silindirik bir tahta çıkardı ve dudaklarına götürdü. Silahlarımız aynı anda ateş aldı. Olduğu yerde döndü, kolları yana düştü ve boğmaca öksürüğü gibi sesler çıkartarak, tekneden akıntıya düşüverdi. Suların beyaz girdabında, bir anlık, zehirli gözlerini yakalayabildim. Aynı anda, tahta bacaklı adam kendisini dümene attı ve dümeni öylesine kırdı ki, tekne birdenbire güney kıyısına yöneldi; biz kıçını yıldırım gibi geçerken, sadece birkaç fitle ıskalamıştık. Bir an sonra, yeniden peşindeydik fakat Seher, neredeyse kıyıya varmıştı. Kıyı, harap ve ıssız bir yerdi; ay ışığı, durgun suların ve çürüyen bitkiler yatağının bulunduğu havuzlarla dolu engin bataklıkların üzerine düşüyordu. İstimbot, tok bir sesle, çamurlu kıyıya girdi; pruvası havaya kalkmış, kıçı sudaydı. Firari, tekneden fırladı çıktı, ama tahtadan bacağı ıslak çamura saplandı kaldı. Boş yere çabalıyor ve kıvranıyordu. Ne bir adım geri, ne bir adım ileri atabiliyordu. Aciz bir öfkeyle bağırırken, sağlam ayağıyla çılgın gibi çamuru tekmeliyordu ama tüm çabalamaları sadece ıslak çamura daha da fazla saplanmasına sebep oluyordu. Teknemizi yanaştırdığımızda, öylesine batmıştı ki, ancak onu bir kementle yakalayarak çekebilir ve oradan çıkarabilirdik, tıpkı habis bir balık gibiydi. Baba ve oğul Smithler, teknelerinde öfkeli bir sükûnet içinde oturuyorlardı fakat çağırıldıklarında uysalca geldiler. İstimbotu da bağlayıp yedeğimize aldık. Hint işçiliği ürünü, safi demirden bir sandık, güvertede göründü. Bu, kuşkusuz, uğursuz Agra hazinesi olacaktı. Anahtar yoktu, gelgelelim, epey ağırdı ve küçük kamaramıza dikkatle taşıdık. Tekrar, nehrin yukarısına doğru yola çıktığımızda, fenerimizle her yeri taradık, ama suya düşen yerlinin bir izine rastlamadık. Kıyılarımızın bu tuhaf ziyaretçisinin cesedi, Thames'in dibindeki karanlık sulu çamurda bir yerlerde, yatıyor olacaktı.

"Buraya bak," dedi Holmes, tahta lombar ağzını gösterirken. "Kılpayı kurtarmışız." Durduğumuz yerin hemen önünde, çok iyi tanıdığımız o ölümcül oklardan biri vardı. Biz ateş ettiğimiz anda, aramızdan vınlamış geçmişti besbelli. Holmes gülümsedi, rahat bir tavırla omuz silkti. Ama itiraf etmem gerekir ki ben, o gece bu kadar yakınımızdan geçen dehşetli ölümü düşündükçe kusacak gibi oluyorum.

XI. Bölüm

MUHTEŞEM AGRA HAZİNESİ

Tutsağımız kamarada, ulaşmak ve elde etmek için varını yoğunu ortaya koyduğu o demirden sandığın tam karşısında oturuyordu. Güneşten esmerleşmiş, gözü kara bir adamdı; zorlu, açık havada geçmiş yaşamını anlatan maun ağacına benzer simasının her yerinde kırışıklıklar vardı. Sakallı çenesi, amacından kolay kolay vazgeçmeyecek inatçı ve azimli insanlarınki gibi, çıkıntılıydı. Yaşı elliydi, belki daha azdı; kıvırcık siyah saçlarının büyük kısmı kırçıllaşmıştı. Kalın kaşlarının ve atik çenesinin, daha önceden gördüğüm gibi, öfkelendiğinde ona dehşetli bir ifade verdiğini biliyordum; gelgelelim, çehresi şimdilik sevimsiz sayılmazdı. Kelepçeli elleri kucağında, oturuyordu; kafası göğsüne düştü, parıldayan güçlü gözleriyle yaptığı kötü işlerin sebebi olan sandığa bakıyordu. Katı simasında bence öfkeden ziyade ıstırap vardı. Bir kere kafasını kaldırdı ve bana, gözlerinde komik bir anlatımla baktı.

"Evet, Jonathan Small," dedi Holmes, bir puro yakarken. "Böyle sona erdiği için üzgünüm."

"Ben de bayım," dedi adam, samimiyetle. "Bu iş yüzünden asılacağıma inanmıyorum. Size kitap üzerine yemin ederim ki, Bay Sholto'ya elimi bile kaldırmadım. Şu kahrolası ada yerlisi yaptı; adı Tonga. Lanetli oklarından birini sapladı. Cinayetin bir parçası değildim bayım. Kan bağımız varmışçasına üzüldüm. Küçük şeytanı bu yüzden halatın gevşek ucuyla dövdüm, ama olan olmuştu, geri alamazdım."

"Bir puro yak," dedi Holmes, "şu cep şişemi de alsan iyi olur, epey ıslanmışsın. Bu siyahî yaratık kadar küçük ve zayıf bir adamın Bay Sholto'yu zaptetmesini ve sen halatla yukarı çıkarken onu tutmasını beklediğini nasıl öne sürebiliyorsun?"

"Görünüşe göre oradaymışsınız gibi biliyorsunuz, bayım. Gerçek şu ki, odayı boş bulmayı umuyordum. Evde yaşayanları iyi tanıyorum ve o saat, Bay Sholto'nun genellikle akşam yemeği yemek için aşağı indiği saatti. Hiçbir şeyi gizlemeyeceğim. Yapabileceğim en iyi savunma, gerçekleri olduğu gibi anlatmak. Şimdi, ölen eğer Binbaşı Sholto olsaydı, o yüzden asılmayı bir nebze kabul edebilirdim. Hayatım boyunca şu puroyu içerken düşündüklerimden daha fazla düşünmüşümdür onu gebertmeyi. Gelgelelim, bir kere bile münakaşa etmediğim bu genç Sholto'nun ölümünden ötürü sallandırılırsam, işte bu gücüme gider."

"Scotland Yard memuru Bay Athelney Jones'un tasarrufundasınız. Kendisi sizi benim odama götürecek ve meselenin doğru ve apaçık anlaşılması için size bazı sorular soracağım. Kendinizi temize çıkarmalısınız; eğer yapabilirseniz, size yardımcı olabileceğimi umuyorum. Sanırım morgda, kullanılan zehrin siz odaya ulaşmadan önce kurbanı öldürebilecek kadar hızlı nüfuz ettiği ispatlanabilir."

"Aynen öyle, bayım. Camdan tırmanırken, omuzları üstünde kafası, bana öyle bir sırıtışı vardı ki, hayatımda böylesi tesirli bir başka an olduğunu hatırlamıyorum. Tam anlamıyla donmuş kalmıştım, efendim. Kaçmasaydı neredeyse onu öldürecektim. Kabilesinden ayrılırken bunlar yanındaymış ve izimizi sürmenizi sağlayan da okları; ama bundan sonrasına nasıl devam edebildiniz, burasını da ben anlamadım zaten. Size bir kötü niyet beslediğimden değil. Ama tuhaf bir olay gibi görünüyor," dedi acı bir tebessümle. "Yani ben ki, yarım milyonluk bir serveti hak ediyorken, hayatımın ilk kısmını Andamalarda bir mendirek inşa etmek için harcamış, diğer yarısını da Dartmoor'da kanal açmak için harcamış biri... İlkin tüccar Achmet'e gözlerim iliştiğinde benim için kötü bir gün olduğunu anladım, kim sahip olduysa ona lanetten başka bir şey getirmeyen Agra Hazinesiyle baş etmek durumundaydım. Onun için ölüm, Binbaşı Sholto için korku ve suçluluk, benim için ise ömür boyu kölelik getirdi."

Tam bu sırada Athelney Jones geniş kafasını eğerek ve büyük omuzlarını daraltarak küçük kamaraya girdi.

"Tam bir aile partisi," dedi. "Şu cep kanyağından biraz çekeceğim, Holmes. Evet, sanırım birbirimizi kutlamalıyız. Diğerini de canlı yakalayamamış olmamız büyük talihsizlik ama yapacak başka bir şey yoktu. Holmes, sana söylüyorum, kılpayı yakaladığımızı itiraf etmen gerek. Arkasından yetişip önüne geçmek için yapabileceğimizin hepsini yaptık."

"Sonu iyi biten her yol iyi sayılır," dedi Holmes. "Ama Seher'in bu kadar hızlı olduğunu bilmiyordum tabii."

"Smith, onun nehirdeki en hızlı istimbotlardan biri olduğunu söylüyor; eğer motorlarda ona yardım edecek bir kişi olsaymış, asla yakalayamazmışız. Bu Norwood meselesi hakkında hiçbir şey bilmediğine yeminler ediyor."

"Bilmiyor zaten," diye bağırdı mahkûmumuz. "Tek kelime bile bilmiyor. Onun istimbotunu seçtim çünkü teknenin süratli olduğunu işitmiştim. Ona hiçbir şey söylemedik; sadece iyi para verdik. Eğer Gravesend'de Brezilya'ya gidecek olan Esmeralda adlı gemimize bizi yetiştirebilseydi, daha fazlasını alacaktı."

"Pekâlâ, yanlış bir şey yapmamışsa, ona da yanlış yapılmayacaktır. Adamları yakalamakta gösterdiğimiz hızı, onları yargılamakta gösteremeyeceğiz." Jones'un daha şimdiden işin dizginlerini ele almış bir kahraman gibi davrandığını görmek gerçekten şaşırtıcıydı. Sherlock Holmes'ün yüzünden şöyle bir geçiveren hafif tebessümden, böylesi konuşmaların onun canını sıkmadığını rahatlıkla anlayabiliyordum.

"Birazdan Vauxhall Köprüsü'nde olacağız," dedi Jones, "ve Dr. Watson, seni hazine sandığıyla indireceğim. Söylemek zorundayım; bunu yaparak şahsen üzerime çok büyük bir sorumluluk yüklemiş oluyorum. Çok yasadışı, ama anlaşma anlaşmadır. Yine de, görev icabı, sizinle bir denetçi yollamak zorundayım, çünkü hazinenin değeri çok fazla. Arabayla gideceksiniz değil mi?"

"Evet."

"Ah, sandığın anahtarının olmaması ne kötü. İlkin bir envanter hesabı yapardık. Kırarak açmak zorunda kalacaksınız. Anahtar nerede millet?"

"Nehrin dibinde," dedi Small, kısaca.

"Hım. Bu lüzumsuz mevzu ile vakit kaybetmenize gerek yok. Sizin sayenizde epey çalıştık. Gelgelelim, doktor, sizi dikkatli olmanız için uyarmak zorundayım. Baker Caddesi'ndeki evimize getirin kutuyu, tek parça halinde dönün. Polis merkezine gitmeden önce oraya uğrayacağız, bizi orada bulun."

Ağır demir sandığımla birlikte beni Vauxhall'de indirdiler ve yanıma da iri kıyım olduğu kadar canayakın bir denetçi verdiler. Bir arabaya atladık ve on beş dakika sonra Bayan Cecil Forrester'ın evindeydik. Hizmetçi, bu kadar geç bir saatte ziyaretçilerin gelmesine şaşırmış göründü. Bayan Cecil Forrester, giderken, akşamı dışarıda geçireceğini ve muhtemelen çok geç döneceğini söylemişti. Fakat Bayan Morstan çizim odasındaydı ve ben de kucağımda hazine sandığı, yardıma hazır denetçiyi arabada bırakarak, çizim odasına gittim.

Üzerinde yarı saydam bir beyaz elbise, boynunda ve gerdanında küçük pembeliklerle açık camın yanında oturuyordu. Gölgeli bir lambanın yumuşak ışığı, sepetten sandalyesinde arkasına yaslanırken üzerine düşüyor, tatlı ve ciddi yüzünden geçiyor, gür saçlarının kıvrımlarını kasvetli ve madeni bir parıltıyla sarıyordu. Beyaz bir kol ve beyaz bir el, sandalyenin bir tarafından sarkmıştı ve bu duruşuyla, insanı çarpan bir melankoli örneği olarak konuşuyor gibiydi. Ayak seslerimi duyunca ayağa kalktı ama beni görünce aşikâr bir şaşkınlık ve memnuniyet ifadesi solgun yanaklarını renklendirdi.

"Bir arabanın yanaştığını görmüştüm," dedi. "Bayan Forrester erkenden geldi sanmıştım, sizin olabileceğiniz aklıma bile gelmemişti. Bana ne haberler getirdiniz?"

"Haberlerden daha iyi şeyler getirdim," dedim, hazineyi masanın üzerine koyarak. Neşe ve coşkuyla konuşuyordum, içimde kalbim sıkışıyordu elbette ama belli etmiyordum. "Dünyadaki tüm haberlere değer bir şey getirdim size. Size bir servet getirdim."

Demir kutuya baktı.

"Hazine bu mu yani?" diye sordu, yeterince soğukkanlı.

"Evet, muhteşem Agra hazinesi. Yarısı sizin ve diğer yarısı da Thaddeus Sholto'nun. Neredeyse iki yüz bin! Bir düşünün! Yıllık emekli maaşı on bin. İngiltere'deki zengin kadınların çoğunu geride bırakacaksınız. Harikulade değil mi?"

Sanırım rolümü biraz fazla abartmıştım, tebriklerimi elinin tersiyle itti, kaşlarının biraz kalktığını ve bana dikkatle baktığını görebiliyordum.

"Eğer bu hazine buradaysa," dedi, "bunu size borçluyum."

"Hayır, hayır," dedim, "bana değil, arkadaşım Sherlock Holmes'a. Dünyanın en müthiş aklı bende olsa, ufak bir ipucundan yola çıkarak, onun analitik dehasını dahi zorlayan bu meseleyi asla çözemezdim. Zaten son anda, neredeyse hepsini kaybediyorduk."

"Lütfen oturun ve bana bunu anlatın Dr Watson," dedi.

Onu en son gördüğümden beri olanları kısaca naklettim. Holmes'ün yeni araştırma yöntemlerini, Seher'i keşfedişini, Athelney Jones'un ortaya çıkışını, akşam yolculuğumuzu ve Thames boyunca süren maceramızı. Şaşkınlıktan ağzı bir karış açık, serüvenlerimizi parlayan gözlerle dinliyordu. İkimizi çok yakından sıyıran şu zehirli oktan bahsedince, rengi öylesine beyazladı ki, bayılacak sandım.

"Bir şey yok, bir şey yok," dedi, ben biraz su doldururken bardağına. "İyiyim. Arkadaşlarımı böylesi dehşetli bir tehlike içine attığımı duymak beni sarstı."

"Hepsi bitti," dedim. "Hiçbir şey değildi. Daha fazla kötü ayrıntı anlatmayacağım size. Haydi, daha aydınlık şeylerden konuşalım. İşte, hazine. Bundan daha aydınlık ne olabilir? Onu yanımda getirdim, ilk görecek kişinin siz olmanız belki sizi hoşnut eder diye."

"Evet, büyük memnuniyet," dedi ama sesinde istek ya da iştah yoktu. Kuşkusuz, elde etmesi büyük bir pahaya mal olan hazineye kayıtsız kalmanın benim için nahoş görüneceğini düşünmüş olacaktı.

"Ne güzel bir sandık!" dedi, üzerine eğilerek. "Sanırım Hint işi, değil mi?"

"Evet, Benares metal işi."

"Amma da ağır!" dedi, kaldırmaya çalışarak. "Sandık bile tek başına epey değerli olmalı. Anahtarı nerede?"

"Small, anahtarı Thames'e atmış," dedim. "Bayan Forrester'ın ocak süngüsüne ihtiyacım olacak."

Kalın ve geniş bir asma kilit köprüsünün önünde, oturan bir Buda heykeli yapılmıştı. Bunun altına ocak süngüsünü koydum ve bir manivela gibi kullanarak kaldırdım. Kilit, gürültülü bir zangırtıyla açıldı. Titreyen parmaklarımla kapağı açtım ve geri yatırdım. İkimiz de şaşkınlık içinde öylece kalakalmıştık.

Sandık boştu!

Elbette ağır olacaktı. Dökme demir, iki inç kalınlığındaydı neredeyse; sandığın her yeri böyle dökümdü. Büyük ve ağır, dayanıklı, katı, sanki çok değerli şeyleri taşımak için bilhassa yapılmış gibiydi; ama içinde ne bir parça metal ne de zerre kadar mücevher vardı. Tamamen, tamamen boştu.

"Hazine yok," dedi Bayan Morstan, soğukkanlılıkla.

Bu sözcükleri duyar ve ne anlama geldiklerini idrak ederken, büyük bir gölge kalktı gitti ruhumdan. Bu Agra hazinesinin nasıl da içime oturduğunu, ancak yerinden kalkınca anlayabilmiştim. Kuşkusuz bencilce, hain, yanlış bir hissiyattı; ama ikimizi ayıran altından engelin kaybolduğundan başka bir şey düşünemiyordum.

"'Teşekkürler Tanrım!" diye haykırdım, kalbimden.

Çabuk, sorgulayan bir tebessümle bana baktı ve,

"Neden böyle söylediniz?" diye sordu.

"Çünkü şimdi yine ulaşabileceğim bir yerdesiniz," dedim, elini tutarken. Geri çekmedi. "Çünkü sizi seviyorum Mary, bir erkek bir kadını nasıl severse. Çünkü bu hazine, bu altınlar, dilimi bağlıyordu. Şimdi onlar gittiğine göre, sizi nasıl sevdiğimi söyleyebilirim. İşte bu yüzden 'Teşekkürler Tanrım' dedim."

"O zaman bence de 'Teşekkürler Tanrım,'" diye fısıldadı, onu kollarıma alırken.

Her kim bir hazine kaybettiyse artık, bilemem ama, o gece ben bir tane bulmuştum.

XII. Bölüm

JONATHAN SMALL'UN İLGİNÇ HİKÂYESİ

Arabadaki denetçi gerçekten de çok sabırlı bir insan olmalıydı, çünkü ona geri dönene dek geçen zamanda bıkıp usanması gerekirdi. Boş sandığı gösterince yüzü bulutlandı ve,

"İşte sana ödül!" dedi, mahzun. "Paranın olmadığı yerde ödeme de yoktur. Eğer hazine orada olsaydı, hem Sam Brown hem de ben, bu gecenin mükâfatı olarak onar kâğıt alacaktık."

"Bay Thaddeus Sholto zengin bir adam," dedim, "sizi mutlaka ödüllendirecektir, hazine orada olsun olmasın."

Denetçi umutsuz bir tavırla kafasını salladı.

"Kötü bir iş bu," dedi, "Bay Athelney Jones da böyle düşünecektir."

Tahminleri doğru gibi görünüyordu, çünkü Baker Caddesi'ne gidip de ona boş sandığı gösterdiğimde, dedektif, boş gözlerle baktı. Holmes, mahkûm ve o, üçü henüz eve varmışlardı, çünkü durumlarını haber vermek için planlarını değiştirmiş, yol üzerindeki bir karakola uğramışlardı. Arkadaşım sandalyesinde tembelce uzanmış, her zamanki bitkin yüz ifadesiyle oturuyordu; bu arada Small, ketum bir halde, onun tam karşısında oturuyordu ve tahta bacağını, sağlam ayağının üstüne atmıştı. Boş hazine sandığını ona gösterince, arkasına yaslandı ve yüksek sesle kahkahalar attı.

"Bunu sen yaptın, Small," dedi Athelney Jones, öfkeyle.

"Evet, onu asla bulamayacağınız bir yere sakladım," diye haykırdı sevinçle. "O benim hazinem ve eğer ganimete ben sahip olamazsam, başka kimsenin de yanaşamaması için elimden gelen her şeyi yaparım. Size söylüyorum, yaşayan hiçbir insanın onun üzerinde hakkı yoktur. Andamalarda, kışlalarda mahkûm edilen diğer üç kişi hariç. Hazineye kendimin de, onların da ulaşamayacağını biliyorum. Hareket ederken, kendimi düşündüğüm kadar onları da düşündüm. O, dördümüzün de servetiydi. Evet, yaptığım şeyi yapmamı isteyeceklerini, hazineyi Sholto'nun ya da Morstan'ın akrabalarına vermektense Thames'e atmamı dileyeceklerini biliyordum. Achmet'e yaptıklarımız onları zengin etmek için değildi. Küçük Tonga neredeyse, anahtarı da, hazineyi de orada bulabilirsiniz. Teknenizin bizimkine yetişeceğini anladığımda, ganimeti emin bir yere koydum. Size tek rupi* yok."

"Bizi kandırıyorsun, Small," dedi Athelney Jones, sert bir tavırla, "hazineyi Thames'e atacak olsaydın, sandıkla birlikte her şeyi fırlatıp atmak senin için daha kolaydı."

"Benim öyle atmam daha kolaysa, sizin o halde bulmanız da daha kolaydı," dedi kurnaz, açıkgöz bir bakışla. "Beni yakalayacak kadar zeki bir adam, demir bir kutuyu nehrin dibinden çıkarabilecek yeterliktedir. Ama şimdi, bu şekilde mücevherler rahat beş mile yayılmışlardır: çok daha zor. Bunu yaparken içim gitti elbette, ayrı. Bize yetiştiğinizde neredeyse yarı yarıya çıldırmıştım. Ama çok da

*Rupi: Hindistan gümüş parası. (Ç.N.)

üzülmeye gerek yok. Hayatımda inişler oldu, çıkışlar oldu, ama dökülen süte ağlamamayı öğrendim."

"Bu çok ciddi bir mesele, Small," dedi dedektif. "Eğer bu şekilde köstek olmak yerine, adalete yardım edersen, duruşmada daha çok şansın olabilir."

"Adalet!" diye hırladı eski mahkûm. "Ah, sevimli adalet. Eğer bizim değilse, bu hazine kimin öyleyse? Asla hak etmeyen insanlara bu hazineyi vermek zorundayken nerede adalet peki? Onu nasıl kazandığıma bir bakın! O lanet yerde, mangrov ağacı altında bütün gün, tam yirmi yıl çalıştım. Geceleri pis barakalarda, ellerim ayaklarım zincirliyken, sivrisinekler her yerimi yedi, sıtma nöbetlerine tutuldum, sırf beyaz adamlardan intikam almak istedikleri için zulmeden her lanet siyahî polisten eziyet gördüm. Böyle kazandım bu hazineyi işte. Şimdi de gelmiş bana adaletten bahsediyorsunuz. Neden? Çünkü, bu bedeli tadını başkaları çıkarsın diye ödediğim hissine katlanamadım. Defalarca asılsam, ya da Tonga'nın zehirli okları saplansa tenime, daha iyidir. Benim olması gereken parayla bir sarayda keyfeden bir başka adamı düşünüp kahrolmaktan daha iyidir."

Small, sabır maskesini düşürmüştü ve konuşurken vahşetle birbiri ardına sıralıyordu sözcüklerini; gözleri öfkeyle parlıyor; kelepçeleri, ellerinin ateşli devinimlerinden dolayı birbirlerine vuruyor ve tangırdıyordu. Adamın tutkusunu ve öfkesini görünce, yaralı mahkûmun peşine düştüğünü öğrenen Binbaşı Sholto'nun kapıldığı dehşetin asılsız ya da gayritabiî olmadığını daha iyi anladım.

"Bütün bunları bilmediğimizi unutuyorsunuz," dedi Holmes sessizce. "Sizin öykünüzü bilmiyorduk ve adaletin sizin olduğunuz yerden ne kadar uzakta olduğunu söylememize imkân yok."

"Evet, bayım, her ne kadar bileklerimdeki kelepçelerin sorumlusunun siz olduğunu bilsem de, bana karşı açık sözlü oldunuz. Fakat, bunun için küçük görülmeye katlanamıyorum. Hak yerini buldu aslında. Eğer öykümü dinlemek istiyorsanız, bunu geri çevirmeyeceğim. Söylediğim her sözün gerçek olduğuna Tanrı şahidimdir. Teşekkür ederim, bardağı şuraya bırakabilirsiniz, susarsam dudaklarımı ıslatırım.

"Worcestershire'danım, Pershore'a yakın bir yerde doğdum. Eğer soruşturursanız, hâlâ orada yaşayan Small soyisimli bir sürü insan bulabilirsiniz. Oralara geri dönmeyi sık sık istemişimdir, gelgelelim ailemden yana pek sevildiğim söylenemezdi, beni gördüklerine sevineceklerinden de kuşkuluydum. Azimli, disiplinli, kiliseyi aksatmayan, kendi hallerinde çiftçilerdir hepsi; kırsal bölgelerde iyi tanınır ve adlarından saygıyla bahsedilirdi. Fakat beni biraz serseri olarak bilirdi herkes. Nihayet, on sekiz yaşlarındayken, artık onların başına daha fazla bela olmayayım dedim, çünkü bir kadınla başım beladaydı ve bundan ancak Hindistan için yeni sefere çıkan Üçüncü Birlik'e katılarak ve kendimi şilinlere adayarak kurtulabilirdim.

"Gelgelelim, askerliğe pek de meraklı sayılmazdım. İlkgençliğim henüz bitmişti, Ganj nehrinde yüzmek gibi bir aptallık yaptığım sıralarda, tüfek tutmayı da yeni öğrenmiştim. Şansıma, çavuşum John Holder da oradaydı ve kendisi birliğimizdeki en iyi yüzücüydü. Nehrin orta yerinde bir timsah kaptı sağ bacağımı, bir cerrah nasıl muntazam keserse öyle kopardı; tam dizimin üstünden. Kan kaybından ve heyecandan bayıldım, eğer Holder beni yakalamasa ve kıyıya taşımasa, boğulmuştum. Bu yüzden tam beş ay hastanede yattım ve sonunda, baldırıma saplanan bu tahta bacakla taburcu olduğumda, hizmet için yeterli olmadığımdan ordudan uzaklaştırıldım.

"Malumunuz, henüz yirmi yaşımda bile değilken, tek bacaklı bir sakat olarak kalmaktan ötürü pek şanssız sayılırdım. Gelgelelim, kötü talihim çok geçmeden dönüverdi. Orada çivitotu ekip biçen Abel White adında bir adam, rençperlerine bakacak ve onları düzene sokacak bir denetçi arıyordu. Kazadan beri bana özel bir yakınlık gösteren bizim albayın bir arkadaşıydı kendisi. Uzun lafın kısası, albay görev için beni şiddetle tavsiye etti ve iş genelde at sırtında yapılacağından, bacağımın sakatlığı çok da büyük bir engel teşkil etmiyordu, zira sol ayağım ata hükmedebilecek kadar güçlüydü. Yapmam gereken şey, büyük çiftlik boyunca at sürmek, çalışırken rençperleri gözetmek ve boş duranları ihbar etmekti. Ücreti iyiydi, kalacak yer temin edilmişti ve hayatımın geri kalan kısmını tamamen çivitotu tarlasında yaşayarak geçirebilirdim. Bay Abel White iyi yürekli bir kimseydi, sık sık barakama uğrar ve benimle pipo içerdi, çünkü beyaz insanlar orada birbirlerine kendi yurtlarında olmadıkları kadar muhtaçtılar."

"Talihin yüzü bana hiçbir zaman uzun süre gülmedi. Ansızın, bir belirti bile göstermeden vuku bulan büyük ayaklanma bizi dağıttı. Hindistan, bir ay boyunca Surrey yahut Kent kadar durgun ve huzurlu görünüyor, diğer ay, iki yüz bin siyahî şeytan firar ediyor ve ülke tam anlamıyla cehenneme dönüyordu. Bütün bunları biliyorsunuz kuşkusuz beyler; benden iyi biliyorsunuzdur hem de, zira ben pek okumam. Ben sadece gözlerimle gördüklerimi bilirim. Bizim çiftliğimiz Kuzeybatı Eyaletleri hududuna yakın, Muttra adında bir yerdeydi. Geceleri yakılan bungalovların ışığıyla gök aydınlanıyor ve gündüzleri, Avrupalı bölükler, eşleri ve çocuklarıyla, en yakın bölüklerin konuşlandığı Agra'ya yola düşüyor, bizim eyaletten geçiyorlardı. Bay Abel White, biraz dik kafalı bir adamdı. İsyanın abartıldığını ve nasıl başladıysa, öylece ansızın sona ereceğini ve unutulacağını düşünüyordu. Ülkenin alevleri kendisini de yakacak şekilde harlanırken verandasında oturuyor, viski içiyor ve yaprak sigarasını tüttürüyordu. Ben ve karısıyla birlikte hesap işlerine bakan Dawson, elbette ona sadıktık. Ama, bir gün çöküş zamanı geldi. Sarp bir derenin bitiminde bir şeylerin çılgınca kaynaştığını ve karmakarışık olduğunu gördüğümde, uzaktaki başka bir çiftlikteydim ve akşam vakti eve sürüyordum atımı yavaşça. Ne olduğunu anlamak için hareketlilik gördüğüm yere gittim ve Dawson'un karısını lime lime doğranmış, bedeninin yarısı çakallar ve köpekler tarafından yenmiş bulduğumda, buz kesildim. Biraz ötede, Dawson kendisi, yüzüstü yatıyordu, besbelli ölmüştü, elinde boş bir tabanca vardı ve önünde dört Hintli asker uzanıyordu. Nereye gideceğimi bilemeden atımı mahmuzladım, ama tam bu sırada Abel White'ın bungalovundan çıkan kalın dumanlar gördüm, yalımlar çatıyı sarıyordu. O anda işverenimi kurtaramayacağımı anladım; bu işe burnumu sokarsam kendi hayatımı da yitirecektim. Durduğum yerden yüzlerce siyahî ifriti görebiliyordum; sırtlarında kırmızı pelerinlerle, yanan evin etrafında dans ediyor ve uluyorlardı. Bazıları beni işaret etti ve mermiler etrafımda vızıldamaya başladı. Atımı çeltik tarlalarına sürdüm ve gecenin geç saatlerinde Agra'nın güvenli surları içine attım kendimi."

"Gelgelelim, bildiğiniz gibi, orada da pek emniyet

yoktu aslında. Bütün bir ülke arıların istilasına uğramış gibiydi. İngilizler, nerede küçük bir grup halinde toplansalar, silahları elverdiğince kendilerini korumaya uğraşıyorlardı. Başka yerlerde ise çaresizdiler. Bu, milyonlara karşı yüzlerin savaşıydı ve işin en acımasız yanı da, savaştığımız bu adamların, süvari, er ve ateşçilerinin, bizim silahlarımızı taşıyan ve savaş borularımızı çalan, bizim tarafımızdan eğitilmiş birlikler olmasıydı. Agra'da, Üçüncü Bengal Tüfeklileri ile bazı Sihler*, iki süvari birliği ve bir topçu bataryası bulunuyordu. Kâtiplerden ve tüccarlardan bir gönüllü kolordu kurulmuştu; tahta bacağımla bu kolorduya katıldım. Haziran'ın başlarında, isyanı bastırmak için Shahgunge'a gittik ve biraz da olsa onları geri püskürtebildik; fakat barutumuz bitti ve şehri teslim ederek geri çekilmek zorunda kaldık.

"Her yanda olabilecek en kötü şeyler oluyordu, gerçi bunlara hiç şaşmamak gerekiyordu çünkü haritaya bakarsanız, ülkenin tam ortasında kaldığımızı göreceksiniz. Lucknow, doğu yönünde yüz milden daha uzaktı ve Cawnpore da oradan aşağı değildi. Haritanın her yerinde, katliam, işkence ve öfke vardı.

"Agra, fanatikler ve her türlü şeytana tapan kimselerle dolu büyük bir şehirdir. Az miktarda askerimizi de dar, yılankavi sokaklarda yitirdik. Liderimiz nehri geçti, böylece Agra'nın eski kalesinde konuşlandık. Bu eski kaleyle ilgili siz beyler bir şeyler okudunuz ya da duydunuz mu, bilemiyorum. Çok tuhaf bir yerdir, bugüne dek bulunduğum en tuhaf yer diyebilirim, kaldı ki ben çok farklı yerlerde bulunmuş bir adamım. Bir defa, çok, çok büyük bir yer; çevrilmiş hektarlarca alan. Bütün garnizonu, kadınları,

*Sih: Hindistan mezheplerinden birinin ferdi.

çocukları, yükleri ve başka her şeyi bıraktığımız modern bir bölümü var; bir sürü oda var. Ama modern kısmın büyüklüğü eski bölümle kıyaslanamayacak kadar küçük kalıyordu. Eski bölüm, kimsenin gitmediği, akreplere, çıyanlara kalmış bir yerdi. Tamamen bomboş koridorlarla, dolambaçlı geçişlerle ve içeri ya da dışarı bükülen dehlizlerle doluydu. Öyle ki, bir grup insan burada rahatlıkla kaybolabilirdi. Bu yüzden, kimsenin gitmediği bir yerdi, hattâ belki bugün bile içeriyi keşfetmek maksadıyla elinde meşalelerle dolaşan insanlar vardır orada."

"Nehir, eski kalenin önünden akıyor ve böylece onu koruyordu, ama yanlarda ve arkada birçok kapı vardı; dolayısıyla, hem kalenin, hem de birliklerimizin güvenliğini sağlamak için buralar korunmak zorundaydı. Az kişiydik; silahları yetiştirecek ve açıkları tutacak adam sayısı azdı. Bu yüzden, sayısız kapısı olan bu yerin her tarafını tutmak bizim için imkânsız görünüyordu. Biz de kalenin tam ortasına bir kule diktik, kapılara da birer beyaz adamın emrinde üçer yerli yerleştirdik. Yapının güney batı tarafındaki küçük bir kapıda, gecenin belirli saatlerinde nöbet tutmak için ben de seçilmiştim. Emrimde iki Sih asker vardı ve bir şeyler yanlış gittiği takdirde, silahımı ateşlemem ve merkezi kuleden yardım beklemem söylenmişti. Kule yaklaşık iki yüz adım kadar uzaktaydı, fakat aramızdaki mesafe birçok koridor ve dehlizle doluydu, dolayısıyla olası bir saldırıda zamanında yetişebileceklerinden şüpheliydim.

"Toy ve tek bacaklı bir asker olduğumdan, bu küçük görevin bana verilmesi beni çok gururlandırmıştı, doğrusunu söylemek gerekirse. İki gece boyunca Pencaplı emirerlerimle nöbet tuttum. Mahomet Singh ve Abdullah

Khan, uzun boylu, sert bakışlı adamlardı; ikisi de eski askerdi ve Chilian Wallah'da bize karşı savaşmışlardı. İngilizceyi gayet iyi biliyorlardı ama ben ağızlarından pek az söz alabiliyordum. Yan yana duruyorlar ve bütün gece boyunca kendi Sih dillerinde hiç durmadan konuşuyorlardı. Bense girişin dışında durmayı, manzarayı gözetlemeyi, nehri ve büyük şehrin suda yansıyan pırıltılı ışıklarını izlemeyi tercih ediyordum. Davulların gümbürtüsü, tamtamların patırtısı, afyon ve öfkeden kafayı bulmuş isyankârların ulumaları, gece boyunca hepimize, nehrin öte yanında yeterince tehlikeli komşularımızın olduğunu hatırlatmaya yetiyordu. İki saatte bir, gece nöbetçisi kuleye gider ve her şeyin yolunda olduğuna dair rapor verirdi."

"Üçüncü nöbet gecem karanlık ve iğrençti; sert bir yağmur vardı. Böyle bir havada saatlerce nöbet tutmak çok sıkıcıydı. Benim Sihleri konuşturmak için çok uğraştım ama işe yaramadı. Gece saat ikide rapor vakti geldi ve bir an için nefes alabildim. Arkadaşlarımın konuşmayacağını anlamıştım; pipo içmek istedim, kibrit yakmak için tüfeğimi indirdim. Bir an sonra, iki Sih üzerime çullanmıştı. Bir tanesi tüfeği kaptığı gibi kafama doğrulttu, diğeri de bıçağını boğazıma dayadı ve eğer bir adım atarsam kellemi alıvereceğine dair dişleri arasından tıslayarak yemin etti."

"İlk düşüncem bu heriflerin isyankârlarla müttefik olduğu ve bunun bir saldırının başlangıcı olduğu idi. Eğer Hintli askerler kapılarımızı tutmuşsa, kale düşecekti; kadınlara ve çocuklara da, Cawnpore'da olanların aynı olacaktı. Belki de siz beyler bunları sadece kendime pay çıkarmak için anlattığımı düşüneceksiniz ama şerefim üzerine andolsun ki, bunlar aklımdan geçtiğinde, boğazımdaki bıçağı hissetmeme rağmen haykırmak için ağzımı açtım; belki de bu haykırış, kuleyi alarma geçirecek son bir hamle olacaktı. Beni zapt eden adam, düşüncelerimi okumuş gibiydi; çünkü her ne kadar kendimi buna zorlasam da, yapmama engel olarak fısıldadı: 'Sakın ses etme. Kule yeterince güvende. Nehrin bu tarafında hiç asi yok.' Doğru söylediği sesinden belliydi ve eğer sesimi çıkarsam, kesinlikle ölürdüm; bunu biliyordum. Bütün bunları adamın kahverengi gözlerinden okuyabiliyordum. Bu yüzden, benden ne istediklerini duyabilmek için sessizce bekledim.

"'Beni dinleyin, sahip,' dedi Abdullah Khan adında daha uzunca ve daha sert görünüşlü olanı. 'Ya şimdi bizimle olacaksınız, ya da sonsuza dek susacaksınız. Tereddüt etmemiz için fazla büyük bir şey bu. Ya siz Hıristiyanların yaptığı gibi kalbiniz ve ruhunuzla İsa üzerine yemin edersiniz, yahut biz de asiler ordusundaki kardeşlerimize katılmak için karşıya geçerken cesedinizi nehre atıveririz. Ortası yok. Seçin: Ölüm mü, yaşam mı? Size karar verin diye sadece üç dakikalık bir zaman tanıyoruz, vakit geçiyor ve devriyeler gelmeden ne yapacaksak yapmak zorundayız.'"

"'Nasıl karar verebilirim?' dedim. 'Benden ne istediğinizi söylemediniz ki. Ama şuna emin olun, eğer kulenin güvenliğini tehlikeye atacak bir şeyse, kesinlikle yokum. Bıçağınızı boğazımdan geçirebilirsiniz.'"

"'Kuleyle ilgili değil,' dedi. 'Sizden sadece hemşerileriniz buraya ne yapmaya geldiyse, onu yapmanızı istiyoruz. Zengin olmanızı yani. Eğer bu gece bizden biri olursanız, şu yalın bıçağa andolsun ki, hatta bugüne dek hiçbir Sihin bilmediği üçlü üzerine andolsun ki, ganimetten payınıza düşeni alacaksınız. Hazinenin dörtte biri sizin olacak. Daha fazlasını veremeyiz.'"

"'Ama hazine nedir ki?' diye sordum. 'Eğer söylediğiniz gibiyse, ben zengin olmaya hazırım da, bunun nasıl olacağını söyleyiverin bir zahmet.'"

"'Yemin ediyorsunuz öyleyse,' dedi, 'babanızın kemikleri, ananızın şerefi, inancınızın haçı üzerine, şimdi ya da sonra, bize karşı el kaldırmayacağınıza, aleyhimize söz söylemeyeceğinize yemin ediyorsunuz öyleyse?'"

"'Ediyorum,' dedim, 'kulenin tehlikeye girmeyeceği şartını tekrarlayarak.'"

"'Öyleyse yoldaşım ve ben de, dördümüz arasında eşit pay edilecek hazinenin dörtte birine sizi ortak ettiğimize ant içtik.'"

"'İyi de, burada üç kişiyiz,' dedim."

"'Hayır, Dost Akbar da var. Onları beklerken size hikâyeyi anlatabiliriz. Sen kapıda dur Mahomet Singh, gelirlerse haber ver. Hepsi bir yana, sahip, sana anlatıyorum çünkü sana güvenebileceğimi biliyorum ve bir yemin bir Feringhee'yi bağlar. Eğer yalancı bir Hindu olsaydın, onların sahte mabetlerindeki tüm tanrılar üzerine yemin etsen bile, kanın bıçağımda, bedenin de suda olurdu. Ama Sihler, İngilizleri tanır ve İngilizler de Sihleri. Öyleyse kulak ver söyleyeceklerime:"

"'Kuzeydeki vilayetlerden birinde, toprağı az olsa da, serveti büyük bir raca var. Çoğu babasından kalmış, birazını da kendi toparlamış, çünkü kendisi biraz alçak tabiatlı ve harcamaktansa altınları yığmayı yeğleyen biri. İsyanlar çıkınca, hem aslan hem de kaplanla arkadaş olmak istemiş –yani hem İngiliz ordusu emrindeki Hintli askerler, hem de Hindularla. Çok geçmeden, beyaz adamların sonu geliyor gibi görünmüş ona, çünkü ülkenin her karışından onların ölüm ve yıkım haberleri geliyormuş, tek duyduğu bunlarmış. Yine de, dikkatli bir adam olarak, ne olursa olsun, servetinin yarısı her şart ve her koşulda onda kalsın diye, bazı planlar yapmış. Sarayının mahzenine yığdığı altın ve gümüşleri yanında alıkoymuş, ama en nadir bulunur taşları ve en seçkin incileri demir bir kutuya koyarak, tüccar kılığına giren sadık bir hizmetçisiyle, Agra Kalesi'ne gömmesi için yollamış. Böylelikle, asiler kazanırsa servetini geri toparlayacak, eğer İngilizler muzaffer olursa da, mücevherler ona kalacakmış. Onun eyaletinin sınırlarında güçlü olduklarından, kendisi Hintli askerlerin tarafına geçmiş. Böyle yapmasıyla, dikkatini çekerim sahip, mal varlığı artık kendi ekmeğine sadık kalanların istihkakı haline geliyor."

"'Achmet adıyla dolaşan bu sahte tüccar, şu anda Agra şehrinde ve kalenin içine girmeye yol arıyor. Yanında, seyahat arkadaşı olarak benim kan kardeşim Dost Akbar var ve onun sırrını biliyor. Dost Akbar bu gece onu kaleye sokmak için söz verdi ve bu kapıyı seçti. İşte birazdan gelecek ve Mahomet Singh ile beni, kendisini beklerken bulacak. Burası tenha; kimse bilmeyecek geldiğini. Dünya tüccar Achmet'ten haber alamayacak artık, racanın büyük serveti de aramızda pay edilecek. Ne diyorsun, sahip?'

"Worcestershire'da bir adamın hayatı müthiş ve kutsal bir şeydir; ama her taraftan mermi yağıyorken, bir kan havuzu içindeyken ve her gün ölümü karşılamak için kullanılmışsanız durum farklıdır. Tüccar Achmet'in yaşaması yada ölmesi, benim için önemsiz değildi, ama hazine üzerine konuşurken dikkatim oraya döndü ve yurdumda olsam bununla ne yapardım diye düşündüm; insanlarım asla hoş görmedikleri birinin cepleri altınlarla dolu döndüğünü görünce nasıl bakarlar diye düşündüm. Zaten çoktan karar vermiştim. Benim mütereddit olduğumu fark eden Abdullah Khan ise, meseleyi iyice açıyordu."

"'Düşün bir, sahip,' diyordu, 'bu adam eğer kumandan tarafından yakalansa, ya vurulacak ya da asılacak, ayrıca hazine de hükümete gidecek, böylece hiçbir insana bir rupi faydası olmayacak. Şimdi, onu biz yakalıyorsak, niye geri kalanını da biz almayalım? Mücevherler, ordunun subaylarından çok bizim işimize yarar. Her birimizi yeterince zengin ve büyük yapacak kadar para var ortada. Kimse meseleyi bilmiyor, ayrıca burada bütün insanlıkla ilişiğimiz kesilmiş durumdayız zaten. Daha ne düşünüyorsun? Söyle bakalım tekrar, sahip, bizimle misin, yoksa sana düşman gözüyle mi bakalım?'"

"'Tüm yüreğim ve ruhumla sizinleyim,' dedim.

"'Güzel,' dedi, tüfeğimi bana geri uzatırken. 'Sana güvendiğimizi görüyorsun ya, çünkü bizimki gibi, bozulmayacak bir yemin verdin. Şimdi tek yapmamız gereken kardeşimi ve tüccarı beklemek.'"

"Kardeşin biliyor öyleyse ne yapacağımızı?"

"Onun planı zaten. O düşündü. Kapıya gidelim ve Mahomet Singh'in nöbetine eşlik edelim."

"Güzün başıydı; yağmur hâlâ şakır şakır yağıyordu. Kahverengi, kocaman bulutlar gökyüzü boyunca yüzüyordu ve bir taş atımından ötesini görmek çok güçtü. Bizim geçidin kapısı önünde derin bir hendek vardı, ama etrafındaki sular neredeyse tamamen kurumuştu ve kolaylıkla geçilebilirdi. Benim için, orada iki kişiyle ölümüne gelen bir adamı karşılamak için beklemek, doğrusu biraz tuhaftı."

"Ansızın gözüm hendeğin diğer tarafındaki bir fenerin sönük ışığını yakaladı. Işık, tepeler arasında hemen kayboldu, sonra tekrar göründü ve bize yaklaşmaya başladı."

"'İşte geliyorlar!' dedim."

"'Yapman gerektiği gibi, sahip, onu durduracaksın,' diye fısıldadı Abdullah. 'Onu korkutma. Onu bizimle birlikte yolla ve sen burada nöbetteyken, biz işin kalanını hallederiz. Feneri şöyle hazır tut ki, o adam mı, değil mi, emin olabilelim.'"

"Işık yaklaştı; ben hendeğin diğer tarafında iki karanlık figür görene dek, bir durdu, bir ilerledi. Eğimli taraftan gelmelerine izin verdim; çamurdan geçtiler ve ben durdurmadan önce, geçidin kapısına gelen yolu yarılamışlardı."

"'Kim var orada?' diye sordum buyurgan bir sesle."

"'Dostuz,' dedi ses. Fenerimin örtüsünü açtım ve onlara doğru tuttum. Biri, neredeyse kemerine kadar inen simsiyah sakallarıyla, dev gibi bir Sih idi. Hayatımda hiç bu kadar uzun boylu bir kimse görmemiştim. Diğeri biraz şişmanca, toparlak bir kimse idi ki, kafasında büyük, sarı bir sarık ve elinde şala sarılmış bir yük vardı. Korkuyor gibiydi, çünkü sanki sıtmaya yakalanmış gibi titriyordu ovuşturduğu elleri. Deliğinden çıkarak kendini tehlikeye atmış bir fareye benziyordu. Onu öldüreceğimizi düşünmek de beni titretiyordu, ama hazineyi aklımdan geçirince, vicdanımı susturabildim. Beyaz çehremi görünce, sevinç ünlemiyle bana doğru koşarak geldi ve,"

"'Korumanızı istiyorum, sahip,' diye nefes nefese konuştu, 'mutsuz tüccar Achmet için korunma istiyorum. Rajpootana'dan geldim, Agra'daki kaleye sığınabilmek için. İngilizlerin dostu olduğum için soyuldum, eziyet gördüm ve acı çektim. Bir kez daha güvendeyim işte, mukaddes bir gece bu; ben ve zavallı mallarım güvendeyiz.'"

"'Yükünde ne var?' diye sordum."

"'Demir bir sandık,' dedi, 'başkaları için hiçbir değeri olmayan ama kaybettiğimde gerçekten üzüleceğim aile yadigârı birkaç şey. Dilenci değilim ve sizi ödüllendirebilirim, genç sahip, eğer muhtaç olduğum korunmayı sağlarsa, yöneticinizi de ödüllendirebilirim.'"

"Adamla daha uzun süre konuşabileceğime dair kendime güvenemiyordum. Bu şişman, korkmuş surata baktıkça, onu öldürmeyi düşünmek daha da zorlaşıyordu. En iyisi olacakları akışına bırakmaktı."

" 'Onu merkez kuleye götürün,' dedim. Sihler, adamın kollarına girerek, karanlıklar içindeki geçitten geçtiler; iri yarı Sih de arkalarından gidiyordu. Zavallı adam, başka kimse ölümle böylesine çevrelenmemiştir. Ben fenerle birlikte geçidin kapısında kaldım."

"Boş koridorlarda yankılanan adımlarının ahenkli sesini işitebiliyordum. Ansızın ses kesildi ve bir anlık boğuşma, sonra da darbe sesleri duydum. Bir dakika sonra, bana doğru gelen ayak seslerinden dehşete düşmüştüm, bir adam nefes nefese koşuyordu! Fenerimi uzun koridora döndürdüm ve rüzgâr gibi koşan şişman adamı gördüm: yüzü gözü kan içindeydi ve hemen arkasında, elinde parıldayan bir bıçakla, kaplan gibi koşan büyük, uzun sakallı Sih vardı. Bu küçük tüccar kadar hızlı koşan bir adamı ilk kez görüyordum. Arayı açıyordu ve beni geçip de açık havaya çıkarsa, kendini kurtarabileceğini anlamıştım. Kalbim yumuşadı, ama yine hazinenin düşüncesi galip geldi ve fikrim değişmedi. Yanımdan geçerken tüfeğimle bacaklarına nişan aldım ve vurulmuş bir tavşan gibi taklalar attı. Tekrar ayağa kalkana dek, iri Sih üzerine çıkmış ve bıçağını tam iki kere saplamıştı. Adam ne inledi, ne de kımıldadı; düştüğü yerde kaldı. Düştüğünde boynunu kırmış olacak diye düşündüm. Sözümü tuttuğumu görüyorsunuz ya, beyler. Size, olanların hepsini harfi harfine anlatıyorum, lehime ya da değil."

Sözün burasında durdu ve Holmes'un kendisi için doldurduğu viski ve suya uzandı kelepçeli elleri. Kendi adıma, itiraf etmeliyim ki, içinde bulunduğu o acımasız işten ötürü kapıldığı dehşetten ziyade, hikâye edişindeki küstah ve özensiz usule dikkat ediyordum. Cezasına ne biçilecekse, benden yana hiç şansı olmadığını hissediyordum. Sherlock Holmes ve Jones, elleri dizleri üstünde oturuyorlardı, hikâye epey ilgilerini çekmişti, ama yüzlerinden aynı tiksinti ve bıkkınlık okunabiliyordu. Belki de bunun farkına vardı adam; çünkü öyküsüne devam ederken, sesinde ve tavrında bir meydan okuma seziliyordu.

"Kuşkusuz çok kötüydü," dedi. "Benim yerimde olsa, kaç kişi boğazından bir bıçağın geçeceğini bildiği halde bu ganimetten payını reddederdi? Bunun yanında, o, kaleden içeri girdiğinde, ha benim hayatım, ha onunkiydi. Eğer dışarı çıkabilseydi, bütün iş meydana çıkardı ve ben de savaş mahkemesinde yargılanır, vurularak öldürülürdüm, çünkü böyle bir zamanda insanlar pek müsamahakâr olmazlar."

"Hikâyeye devam et," dedi Holmes, kısaca.

"Evet, Abdullah, Akbar ve ben, onu içeri taşıdık. Çok da ağır değildi aslında, çünkü kısa boyluydu. Mahomet Singh'i kapıda nöbetçi bırakmıştık. Sihlerin önceden hazırladığı bir yere götürdük cesedi. Uzaktı; kıvrımlı bir dehlizin kocaman boş bir koridora açıldığı bir yerdeydi, koridorun tuğlaları ufalanıyordu. Doğal bir mezara benzer, tek bir yerde zemin kat vardı, biz de tüccar Achmet'i orada bıraktık, üstünü de gevşek tuğlalarla örttük. Böyle yaptık ve hazineye geri döndük."

"Adam, düştüğü yerde hazineyi de düşürmüştü, sandık aynı yerde öylece duruyordu. Şu anda masanızın üzerinde duran sandık işte. Tepesinde, ipekten bir iple asılmış, sallanan bir anahtar vardı. Açtık; küçüklüğümde Pershore'da okuduğum ve düşlediğim gibi mücevherlerin üzerinde dolandı fenerimizin ışığı. Mücevherler öyle parıldıyorlardı ki, biraz daha baksak kör olacaktık. Gözlerimiz doyduğunda, hepsini çıkardık ve hesap ettik. Yüz kırk üç parça elmas vardı, içlerinden biri, hatırladığım kadarıyla 'Muhteşem Mogul' dedikleri şu taştı ve kâinattaki ikinci en büyük mücevherdi. Bundan başka, doksan yedi parça zümrüt ve yüz yetmiş parça yakut vardı, gelgelelim bazıları küçüktü. Kırk karbunkül, iki yüz on safir, altmış bir akik ve sayılamayacak kadar çok beril, damarlı akik, aynülhirre, firuze ve o zamandan beri mücevherlerle epey içli dışlı olmama rağmen şu anda bile adını bilmediğim başka kıymetli taşlar. Bunun yanında, neredeyse üç yüz tane inci vardı ve bunların yirmi tanesi, altından bir taca nakşedilmişti. Sırası gelmişken söyleyeyim: Hazineyi yeniden bulduğumda bu inciler içinde değildi."

"Mücevherleri saydıktan sonra sandığa geri koyduk ve Mahomet Singh'e göstermek için kapının yolunu tuttuk. Sonra, oldukça törensel bir ciddiyetle, birbirimize asla haksızlık etmeyeceğimize dair yeminlerimizi tazeledik. Hazineyi bir yere gömmeyi ve ülke yeniden barışa kavuşana dek orada bırakmayı kararlaştırdık. Ardından herkes kendi payını alacaktı. Hemen bölüştürmenin hiçbir anlamı yoktu, çünkü bu kadar değerli taşlar kimin üzerindeyse şüphe çekerdi ve ne kalenin içinde, ne de başka bir yerde, onları dikkat çekmeden saklayabileceğimiz özel bir yerimiz vardı. Sandığı bu yüzden cesedi gömdüğümüz yere taşıdık ve en korunaklı duvarın en sağlam tuğlaları altına bir çukur kazarak, hazineyi oraya gömdük. Bu yeri özenle not ettik, ertesi günü ben her birimize bir tane olmak üzere dört harita çıkardım ve bütün haritaların altına, birimizin hepimiz demek olduğuna yemin ettiğimiz için, dördümüzün imzasını attık; böylece kimsenin imtiyazı olmadığı anlaşılacaktı. Bu, elimi kalbime götürerek asla bozmadığıma yemin edebileceğim bir yemindir."

"Hindistan ayaklanmasını size anlatmamın bir anlamı yok, beyler. Wilson Delhi'yi alınca ve Sir Colin de Lucknow'u geri kazanınca, işin geri kalan kısmı bozuldu. Yeni birlikler akın akın geliyordu ve Nana Sahib, hududun o yanında nüfuzunu yitirdi. Albay Greathead komutasındaki bir birlik Agra'yı kuşattı ve tüm asileri temizledi. Ülkede yeniden asayiş sağlanıyor gibiydi ve dördümüz de yağmaladığımız hazineden paylarımızı alarak güvenli bir şekilde ortadan kaybolmanın vaktinin geldiğini düşünerek umutlanmaya başlamıştık. Fakat hiç ummadığımız bir anda Achmet'in katilleri olarak tutuklandığımızda, tüm beklentilerimiz suya düştü."

"Böyle oldu. Raca, hazinesini Achmet'in ellerine teslim ederken, onun ne kadar sadık olduğunu biliyor ve ona güveniyordu. Doğu halkı kuşkuludur ama, raca, her ne kadar bu adamına güvense de, ikinci bir sadık adamını ne yaptığını gözlesin diye Achmet'in peşisıra yollamıştı. Bu diğer adam, Achmet'in izini asla kaybetmemiş ve gölgesi gibi takip etmişti onu. O gece kapıdan geçerken de izliyordu. Elbette kaleye ilticasının kabul gördüğünü düşünmüştü ve ertesi günü giriş için kendisi de başvurmuş, ama Achmet'ten bir iz bulamamıştı. Bunu garipsemişti; öyle ki, muhafız çavuşuna bildirmişti durumu, o da derhal komutana söylemişti. Çabucak esaslı bir arama yapıldı ve ceset bulundu. Yani tam da artık güvende olduğumuzu düşündüğümüzde, dördümüzü de yakaladılar ve mahkemeye çıkardılar –üçümüzü o gece nöbetçi bizler olduğumuz için, birimizi de öldürülen adamın arkadaşı olduğu için. Raca çoktan azledildiğinden ve sürgün edildiğinden ötürü, mahkemede mücevherlere dair tek kelime geçmedi; yani kimsenin bunlardan haberi filan yoktu. Bununla birlikte ortada apaçık bir cinayet vardı ve hepimiz de bu işin içindeydik besbelli. Üç Sih'e ömür boyu hapis cezası verildi, bana da idam hükmü çıktı, ama sonra diğerlerinin aldığı cezanın aynında karar kılındı."

"O zaman işte, düştüğümüz durum gerçekten bir acayipti. Hepimizi bacaklarımızdan bağladılar ve kullanabildiğimiz takdirde hepimizi saraylara taşıyacak bir sırrı taşıdığımız halde, bir daha zor çıkabileceğimiz bir yere tıktılar. Teslim edersiniz ki, bir insan için, dışarıda kendisini hazır bekleyen devasa bir servet söz konusu iken, yiyecek biraz pirinç ve içecek birkaç damla su uğruna o tekmelere ve tokatlara dayanmak yeterince zordur. Bu beni çıldırtabilirdi, ama hep biraz inatçı olmuşumdur; dayandım ve zamanımı bekledim."

"Nihayet geldi beklediğim vakit. Agra'dan Madras'a, oradan da Andamalardaki Blair Adaları'na sürüldüm. Bu yerleştirmede birkaç başka beyaz mahkûm daha vardı ve başından beri iyi hal gösterdiğim için, çok geçmeden kendimi ayrıcalıklı bir adamın himayesinde buldum. Bana

Harriet Dağı'nın yamacındaki küçük bir kasaba olan Hope Town'da bir baraka verdiler ve neredeyse kendi halime bıraktılar. Sıkıcı ve sıcak bir yerdi; küçük meydanımızın ardı, bir punduna getirip bize zehirli oklarını saplamak için can atan yamyamlarla kaynıyordu. Kanal ve hendek kazıyor, tatlı patates ekip biçiyorduk, başka bir yığın iş daha vardı, yani bütün gün boyunca meşguldük; gelgelelim, akşamları biraz da olsa kendimize zaman ayırabiliyorduk. Diğer işlerin arasında, cerrahi işlemler için afyon hazırlamayı öğrendim ve tıpta bazı bilgiler edindim. Tüm zamanımı kaçmak için bir şans aramakla geçiriyordum diyebilirim, ama diğer kara parçası bulunduğumuz yerden yüzlerce mil uzaktaydı ve o denizlerde yaprak kımıldatacak kadar bile esinti yoktur; dolayısıyla kaçmak, neredeyse imkânsızdı."

"Cerrah Dr. Somerton şişman, sporcu ve genç bir adamdı; diğer genç subaylar da akşamları onun odasında toplanıp iskambil oynarlardı. Afyonları hazırladığım muayenehane, onun oturma odasının hemen yanındaydı ve aramızda bir pencere vardı. Eğer kendimi yalnız hissedersem, sık sık muayenehanedeki feneri alır ve orada öylece durarak konuşmalarını dinler, oyunlarını izlerdim. Ben zaten iskambil tutkunuyumdur, birinin diğerlerini izlemesi de yeterince zevkliydi. Binbaşı Sholto, Kumandan Morstan ve yerli birliklerin başında olan Teğmen Bromley Brown vardı, ayrıca pek tabii cerrahın kendisi ve iki-üç hapishane memuru. Bu kimseler sinsice oynayan kurnaz kumarbazlardı. Hoş, eğlenceli geceler geçerdi."

"Gelgelelim, çok geçmeden bir şey dikkatimi çekti: Askerler hep kaybediyor, siviller hep kazanıyordu. Bakın, ortada bir adaletsizlik vardı demiyorum, ama öyleydi. Mahkûm arkadaşlar, Andamalara geldiklerinden beri kâğıt oynamaktan başka bir şey yapmıyorlardı zaten, yani birbirlerinin hamlelerini iyi biliyorlardı, diğerleri ise sadece zaman geçirmek ve kâğıt oynamış olmak için oynuyorlardı. Gitgide askerler daha da çok para kaybeder oldu, ne kadar sıkı oynasalar o kadar çok kaybediyorlardı. En büyük av ise Binbaşı Sholto idi. İlkin para ve altın koyuyordu, fakat sonraları senet koymaya başlayınca, yekûn epey bir tuttu. Bazen, onu yüreklendirecek birkaç el kazandığı oluyordu, ama sonra şansı daha kötüye dönüyordu. Bütün gün karamsarlıkla dolaşıyor, sonra da içkinin daha iyi olduğuna karar veriyordu."

"Bir gece her zamankinden çok daha fazla kaybetti. Kumandan Morstan ve onu, kışlalarına sendeleyerek giderken gördüğümde, barakamda oturuyordum. İkisi çok samimi arkadaştı ve asla ayrılmazlardı. Binbaşı Sholto, kaybettiği paralardan ötürü yakınıp duruyordu."

"'Hepsi bu kadar, Morstan,' diyordu, barakamın yanından geçerken. 'Bittim, iflas ettim. Tüm paramı kaybettim.'"

"'Saçmalama, eski dostum!' dedi diğeri, omzuna vurarak. 'Ben biraz tiksinç bir adamım, ama.' Duyabildiğimin hepsi buydu. Ama bunlar da düşünmeme yetti."

"Birkaç gün sonra, Binbaşı Sholto'yu sahilde gördüm; konuşmak için iyi bir fırsattı."

"'Size bir şey danışmak istiyorum, efendim,' dedim."

"'Söyle bakalım neymiş Small?' diye sordu, purosunu dudaklarından çekip alırken."

"'Size sormak istediğim, efendim,' dedim, 'saklı bir hazineyi vermek için hangi insanın en münasip olduğudur. Yarım milyonun nerede olduğunu biliyorum ve kendim kullanamadığımdan ötürü, belki bunu uygun bir otoriteye devretmek en iyisidir diye düşündüm, belki de böylece cezamı hafifletirler.'"

"'Yarım milyon mu diyorsun, Small?' dedi soluk soluğa. Ciddiyetimi ölçmek için yüzüme bakıyordu."

"'Aynen öyle, efendim –mücevherler ve inciler. Hazırda bekliyor. Ve işin ilginç tarafı da şu ki, asıl sahibi yasadışı biri ve mülk sahibi olamaz, yani servet, bulan kişiye ait.'"

"'Hükümete, Small,' diye kekeledi, 'hükümete.' Ama bunu öyle duraksayarak söyledi ki, onu elde ettiğimi anladım."

"'Öyleyse, bilgiyi yönetici generale vermem gerek, bunu mu söylüyorsunuz efendim?' dedim sessizce."

"'Acele etmemelisin, acele etmemelisin, yoksa pişman olursun. Etraflıca bir anlat bana, Small. Anlat şu öyküyü.'"

"'Ona, küçük değişiklikler yaparak bütün hikâyeyi anlattım; bu ayrıntıları değiştirmem de, hazinenin yerini anlamasın diyeydi. Bitirdiğimde taş kesilmiş gibi donakalmıştı ve kafasına düşünceler üşüşmüştü. Dudaklarının titreyişinden, içinde bir şeylerin mücadelesini verdiğini anlayabiliyordum."

"'Bu çok önemli bir mevzu, Small,' dedi sonunda. 'Kimseye tek kelime etmemelisin bununla ilgili, yakında seni tekrar göreceğim.'"

"İki gece sonra, o ve arkadaşı Kumandan Morstan, gecenin karanlığında, ellerinde bir fenerle barakama teşrif ettiler."

"'Kumandan Morstan'ın hikâyeyi senin ağzından duymasını istiyorum, Small,' dedi."

"Daha önce anlattığım hikâyenin aynını anlattım."

"'Doğru gibi, ha?' dedi. 'Denemeye değer?'"

"Kafasını sallayarak onayladı Kumandan Morstan."

"'Şimdi dinle, Small,' dedi Binbaşı Sholto. 'Arkadaşım ve ben, bunu konuştuk, senin sırrının hükümeti pek de ilgilendirmediği sonucuna vardık. Bu senin kişisel sorunun, elbette mesele üzerinde tasarruf sahibi olan sensin. Şimdi, asıl sorun şu: Ne istiyorsun bu iş için? Biz onu alabiliriz ve eğer şartlarda anlaşırsak, içine şöyle bir bakarız.' Rahat, umursamaz bir sesle konuşmaya çalışıyordu ama gözleri heyecan ve hırstan parlıyordu."

"'Neden olmasın, beyler,' dedim, ben de onlar gibi heyecanlıydım ama serinkanlı davranmaya çalışıyordum, 'benim durumumdaki birinin yapabileceği tek bir anlaşma var. Siz, benim ve diğer üç arkadaşımın özgürlüğe kavuşmamız için yardım edeceksiniz. Biz de sizi ortak alacağız ve ikinize, aranızda bölüşeceğiniz beşinci bir pay çıkacağız.'"

"'Hım,' dedi, 'beşte bir. Pek de cazip değil doğrusu.'"

"'İkinize adam başı elli bin ediyor,' dedim."

"İyi de, size nasıl özgürlük verelim biz? Bunun imkânsız olduğunu biliyor olmalısınız."

"'Hiç de değil,' dedim. 'Hepsini en ince ayrıntısına kadar düşündüm. Kaçışımıza tek engel, deniz yolculuğu için uygun bir botun olmaması ve kaçacak kadar zamanın temin edilmesi sorunu. Calcutta ya da Madras'ta, bunu kolaylaştıracak yatlar var. Birini getirin. Bununla gece vakti kaçalım ve sonra bizi Hindistan sahillerinden birinde bırakırsanız, hazineden üzerinize düşeni alırsınız.'"

"'Sadece bir kişi,' dedi."

"'Ya hepimiz, ya da hiçbirimiz,' dedim. 'Yemin ettik. Dördümüz her zaman tek kişi gibi hareket edeceğiz.'"

"“Görüyorsun ya, Morstan,' dedi. ‘Small sözünün eri bir adam. Arkadaşlarına kazık atmıyor. Sanırım ona güvenebiliriz.'"

"“Pis iş,' dedi diğeri. ‘Yine de, dediğin gibi, alacağımız paraya değer.'"

"“Pekâlâ, Small,' dedi Binbaşı Sholto, ‘deneyeceğiz ve göreceğiz. Elbette ilkin hikâyenin gerçekliğini test etmemiz gerek. Bana sandığın nerede saklı olduğunu söyle, ben de aylık izin alayım ve meseleyi şöyle bir araştırmak için Hindistan'a gideyim.'

"“O kadar çabuk değil,' dedim, o ateşlendikçe ben daha soğukkanlı davranıyordum. ‘Diğer üç arkadaşımın rızasını almadan olmaz. Dediğim gibi, dördümüz tek bir kişiyiz.'"

"“Saçmalık!' diye bağırdı. “Diğer üç siyahın bizim anlaşmamızla ne ilgisi var?'"

"“Siyah ya da mavi,' dedim, ‘onlar benimle birlikteler ve hep birlikte gideceğiz.'"

"Evet, ikinci bir görüşme yaptık ve bu defa, Mahomet Singh, Abdullah Khan ve Dost Akbar da hazır bulundu. Meseleyi yeniden konuştuk ve sonunda bir anlaşmaya vardık. İki subaya da, Agra kalesinin bir haritasını temin edecek ve bu haritalarda hazinenin nerede olduğunu işaretleyecektik. Binbaşı Sholto, hikâyemizi doğrulamak için Hindistan'a gidecekti. Eğer sandığı bulursa, orada bırakacak, Rutland Adası'na deniz yolculuğuna hazır bir küçük yat yollayacaktı; bu yat, bizim kaçışımızı sağladığı gibi, onun vazife başına dönmesini de sağlayacaktı. Sonra Kumandan Morstan, izin için başvuracak, Agra'da bizimle buluşacak, orada hazineyi paylaşacaktık. O, hem kendi payını, hem de Binbaşı Sholto'nun payını alacaktı. Bütün bunlar üzerine yaptığımız anlaşmayı sağlarken, akla hayale gelmeyen en ciddi ve en ağır yeminleri ettik. Bütün geceyi kâğıt başında geçirdim, sabahleyin iki harita çıkarmıştım, altında da dört kişinin imzası vardı: Benim, Mahomet'in, Akbar'ın ve Abdullah'ın.

"Evet baylar, uzun hikayemle sizleri sıktığımı biliyorum, dostum Bay Jones'un beni sorunsuz bir şekilde adalete teslim etmek için sabırsızlandığını da biliyorum; elimden geldiğince kısa tutacağım. Hain adam Sholto, Hindistan'a gitti ama geri gelmedi. Kumandan Morstan, çok geçmeden bana posta teknelerinden birinin yolcu listesinde onun adını gösterdi. Amcası ölmüş, ona bir miras bırakmıştı, o da ordudan ayrılmıştı; yine de, arkasındaki beş kişinin malına tenezzül ve emanetine ihanette bir sakınca görmemişti. Kısa süre sonra Morstan, Agra'ya gitti ve tahmin ettiğimiz gibi, hazinenin yerinde olmadığını gördü. Hergele, sırrımızı paylaşmadan önce üzerinde mutabık kaldığımız koşullardan birine bile sadık kalmadan hazineyi götürmüştü. O günden itibaren, öç almak için yaşadım. Gündüzleri düşünüyor, geceleri kinimi besliyordum. İnsanı zapt eden, sürükleyen bir tutku haline geldi intikam hissi. Yasalar umurumda değildi, darağacı umurumda değildi. Kaçmak, Sholto'yu bulmak ve onun boğazını ellerimle sıkmak; bütün düşündüklerim bunlardan ibaretti. Agra Hazinesi bile artık Sholto'nun katlinden daha önemsiz kalıyordu."

"Bu hayatta pek çok şey tasarladım ve bir tanesini bile gerçekleştirmediğim olmadı. Ama vaktimin gelmesi için çok yıllar geçmesi gerekti. Size tıbbi keşifler yaptığımı söylemiştim. Bir gün, Dr Somerton, bir mahkûm grubu tarafından ormanda yakalanmış küçük bir Andama yerlisiyle birlikte çıkageldi. Ölecek kadar hastaydı ve ölmek için tenha bir yeri seçmiş, ormana gitmişti. Kontrol altına aldım; genç bir yılan kadar tehlikeli olsa da, onunla ilgilendim ve birkaç aydan sonra kalkıp yürüyecek kadar iyileşti. O zaman bana bağlandı ve ormana neredeyse hiç gitmedi, sürekli barakama musallat oluyordu. Ondan dillerini biraz da olsun öğrendim ve işte bu, onu tamamen bana bağladı."

"Adı buydu: Tonga. İyi bir denizciydi ve kendine ait büyük, geniş bir kanosu vardı. Bana sadık olduğundan ve hizmet etmek için her şeyi yapacağından adamakıllı emin olduktan sonra, kaçış imkânımı gördüm. Meseleyi onunla konuştum. Uygun bir gece, kanosunu korunmayan eski iskeleye yanaştıracak ve beni oradan alacaktı. Ona, yanına içini suyla doldurduğu birkaç sukabağı ve patatesle, hindistan cevizi almasını tembihledim."

"Sadık ve dürüsttü küçük Tonga. Bu kadar vefalı ve sadık bir arkadaş kimseye nasip olmamıştır. Söylediği gece kanosunu iskeleye getirdi. Şansa bakın ki, o gece orada bir mahkûm-muhafız vardı. İğrenç bir Peştun olan bu kimse, beni aşağılamak ve bana eziyet etmek fırsatlarını hiç kaçırmamıştı. Ben kin beslemiştim ve işte şimdi sıra benimdi. Sanki yazgı, adadan ayrılmadan önce öcümü almam için onu tam da karşıma çıkarmıştı. Sırtı bana dönük, kıyıda oturuyordu, kısa tüfeği omzunda asılıydı. Beynini parçalayacağım bir taş aradım, ama etrafta hiç taş yoktu."

"Sonra aklıma tuhaf bir fikir geldi ve nereden silah temin edebileceğimi anladım. Karanlıkta oturdum ve tahta bacağımı çıkardım. Üç kere sektikten sonra üstündeydim. Tüfeğini doğrultmaya çalışıyordu, ama öyle bir vurdum ki, kafasının ön tarafı darmadağın oldu. Şimdi bile ona vurduğum yerin izini tahta bacağımda görebilirsiniz. İkimiz de düştük, çünkü ben dengemi sağlayamamıştım; fakat ben ayağa kalktığımda, o hâlâ iki seksen yerde yatıyordu. Kanoya gittim; bir dakika sonra açık denizdeydik. Tonga, dünyevi her şeyini yanına almıştı: silahlarını ve tanrılarını. Başka şeyler arasında, uzun bir bambu mızrağı ve birkaç Andama hindistan cevizinden hasır örgüsü vardı. Bununla bir çeşit yelken yaptım. On gün boyunca, talihe sığındık ve açık denizde kaldık; on birinci gün, Malay hacılarını Singapur'dan Cide'ye götüren bir gemi bizi aldı. Müthiş kalabalıktı, Tonga ve ben de çok geçmeden aralarına karışıverdik. Çok iyi bir huyları vardı; insanı kendi haline bırakıyorlar ve tek soru sormuyorlardı."

"Size dostumla yaşadığımız serüvenleri anlatacak olsam, bu hoşunuza gitmez, çünkü sizi güneş doğana kadar alıkoymuş olurum. Şurada burada sürüklendik durduk, dünyayı gezdik, ama bir şeyler sürekli bizi Londra'ya dönmekten alıkoyuyor gibiydi. Gelgelelim, asla amacımdan sapmadım. Geceleri rüyamda görüyordum Sholto'yu. Onu düşlerimde en az yüz kere öldürdüm. Nihayet, üç ya da dört yıl önce, kendimizi İngiltere'de bulduk. Sholto'nun nerede yaşadığını bulmakta pek zorlanmadım ve hazineyi paraya çevirmiş olup olmadığını yahut elinde tutup tutmadığını öğrenmek için derhal işe koyuldum. Bana yardım edebilecek birileriyle dostluk kurdum –isim veremem, çünkü kimseyi gammazlamış olmak istemiyorum- neyse, sonunda hazinenin hâlâ elinde olduğunu öğrendim. Sonra ona birçok yoldan erişmeye çalıştım, ama kendisi oldukça sinsiydi ve her zaman yanında iki muhafızla dolaşıyordu, bunun yanında oğulları ve Khitmutgar da onu koruyordu."

"Gelgelelim bir gün, ölüm döşeğinde olduğu haberini aldım. Bahçeye koşturdum, pençelerimden böylece kayıp kurtulmasından ötürü çılgına dönmüştüm, camdan bakınca, yatağının iki yanında iki oğlu, öylece yattığını gördüm. İçeri dalıp üçünü de haklamayı düşünüyordum ama biraz sonra çenesinin düştüğünü gördüm; ölmüştü. Yine de aynı gece odasına girdim ve mücevherleri nereye sakladığını gösteren bir şeyler aradım belgeleri arasında. Bir satır bile bulamadım, ben de geldiğimden daha vahşi ve acımasız, çıkıp gittim. Çıkmadan önce, olur da tekrar Sih dostlarımla karşılaşırsam diye, nefretimizin bir işaretini bırakmış olmak bize bir tatmin sağlar diye, tıpkı haritadaki gibi, kâğıdın altına dördümüzün imzasını attım, bu kâğıdı da göğsüne bıraktım. Soyduğu ve aldattığı adamlardan bir hatıra olmadan mezara girmesi de artık katlanılır gibi değildi nitekim."

"Bu arada, zavallı Tonga'yı sirklerde ve buna benzer başka yerlerde siyahî bir yamyam olarak sergileyerek ikimizin geçimini sağlıyordum. Çiğ et yiyor ve savaş dansı yapıyordu; böylece, bir gün sonunda rahatlıkla bir şapka dolusu para kaldırıyorduk. Pondicherry Pansiyonu'ndan da hâlâ haber alıyordum ve birkaç yıl boyunca, hazineyi aradıkları bilgisi dışında, hiç haber gelmedi. Ama sonunda, bunca zamandır beklediğimiz şey gerçekleşti; hazine bulunmuştu. Bartholomew Sholto'nun evinde, kimya laboratuarının üstünde saklıydı. Bir defasında gittim ve yaşadığı yeri şöyle bir kontrol ettim, ama tahta bacağımla yukarı nasıl çıkacağımı bilemedim. Ancak çatıda bir kapak-kapı olduğunu ve Bay Sholto'nun da yemek saatini öğrendim. Bana, meseleyi Tonga sayesinde kolaylıkla halledebilirim gibi geldi. Onu yanımda getirdim, uzun bir de sicim temin ettim ve beline bağladım. Bir kedi gibi tırmanabiliyordu ve hemen çatıya çıkıverdi, ama şansa bakın ki, Bartholomew Sholto hâlâ odasındaydı. Tonga, onu öldürmekle çok zekice bir iş yaptığını sanıyordu, çünkü sicimle yukarı çıktığımda, onu bir tavuskuşu gibi kasılarak yürürken buldum. Halatla ona saldırınca ve onu kana susamış bir şeytan diye azarlayınca epey şaşırdı. Hazine sandığını aşağı yolladım, sonra ben indim, ama çıkmadan önce, hazinenin nihayet hakkı olan kişilerin eline geçtiğine dair, masanın üzerine dördümüzün imzasını bırakmayı ihmal etmedim. Tonga sicimi çekti, pencereyi kapattı ve içeri girdiği yerden dışarı çıktı."

"Size anlatacak başka bir şey kaldı mı, bilemiyorum. Bir balıkçının Smith'in Seher adlı istimbotunun ne kadar da süratli olduğundan söz ettiğini duymuştum, ben de kaçmak için yaşlı Smith ile teknesinin çok uygun olduğunu düşündüm; eğer bizi gemiye ulaştırabilirse, ona da büyük bir lokma verecektik. Elbette bir şeyler döndüğünün farkına varmıştı, ama neler döndüğünü bilmiyordu. Hepsi bu kadar işte, hepsi doğru, bunları size anlatmış olmam da sizi şaşırtmasın, çünkü bana pekiyi davranmamıştınız doğrusu; bunları size anlattım çünkü en iyi savunmanın gizli hiçbir şey bırakmamak ve böylece tüm dünyaya Binbaşı Sholto tarafından nasıl kandırıldığımı ve oğlunun ölümüyle ilgili tamamen masum olduğumu göstermek olduğunu düşündüm."

"Gayet dikkate değer bir açıklama," dedi Sherlock Holmes. "Aşırı ilginç bir meseleye cuk diye oturan bilgiler. Hikâyenin kısacık bir bölümü dışında zaten bilmediğim bir şey yoktu. Kendi ipinizi getirdiğinizi bilmiyordum. Bu arada, Tonga'nın o zehirli oklarının tamamını yitirdiğini ummuştum lakin teknede bizlere ok fırlatmayı başardı."

"Hepsini kaybetmişti efendim, o an borusunun içinde olan hariç."

"Ah, elbette," dedi Holmes. "Bunu düşünmemiştim."

"Sormak istediğiniz başka bir şey var mı?" diye sordu mahkûm, içtenlikle.

"Sanırım yok, teşekkürler," dedi arkadaşım.

"Evet, Holmes," dedi Athelney Jones, "keyifli bir adamsın, hepimiz senin bir suç üstadı olduğunu biliyoruz, ama görev görevdir ve arkadaşınla senin benden istediğiniz şeyden fazlasına izin verdim. Hikâyecimiz kilit altında durursa, kendimi daha iyi hissedeceğim. Araba hâlâ bekliyor ve aşağıda iki müfettiş var. İkinize de yardımlarınız için çok teşekkür ederim. Elbette mahkemeye çağırılacaksınız. İyi geceler."

"İyi geceler, baylar," dedi Jonathan Small.

Odadan çıkarlarken, tedbirli Jones, "Önce sen, Small," dedi. "Tahta bacağınla beni dövmeyeceğinden emin olmam gerek, artık Andama Adaları'ndaki adama ne yaptıysan."

"Evet," dedim, bir süre sessiz oturup sigaralarımızı tüttürdükten sonra. "Bu ilginç olaylar silsilesinin sonuna geldik. Senin metotlarını çalışmam için bu defakinin son araştırmam olmasından korkuyorum. Bayan Morstan beni müstakbel kocası olarak kabul etmek inceliğini gösterdi."

Çok tuhaf bir ses çıkaran Sherlock Holmes,

"Ben de korkuyorum," dedi, "tebrik bile edemeyeceğim."

Biraz incinmiştim doğrusu.

"Seçimimden rahatsızlık duyman için bir sebep mi var?" diye sordum.

"Hiç de değil. Bence şimdiye dek karşılaştığım en sevimli genç bayanlardan biri ve yaptığımız iş gibi işlerde çok da başarılı olabilir. Babasının diğer tüm kâğıtları arasında Agra'nın haritasını muhafaza etmekle ispatladığı gibi, kararlı bir dehası var. Ama aşk duygusal bir şeydir ve duygusal olan her şey, benim diğer her şeyin üzerinde tuttuğum soğuk ve gerçek akla düşmandır. Muhakememe zarar vermesin diye, kesinlikle evlenmem ben."

"Ben kendi muhakememin ateşten gömleğe dayanabileceğine inanıyorum," dedim gülerek. "Ama bitkin görünüyorsun."

"Evet, etkiler işte. Bir hafta boyunca bir paçavra gibi olacağım."

"Tuhaf," dedim. "Başkasında görsem tembellik diyeceğim şey muhteşem enerjinin ve zindeliğinin yerini mi aldı yani?"

"Evet," dedi. "İçimde çok tatlı bir aylak, aynı zamanda gayet çevik bir insan taşıyorum. Goethe'nin şu dizelerini sık sık düşünmüşümdür:

"Schade dass die Natur nur einen Mensch aus dir schuf,

Denn zum wurdigen Mann war und zum Schelmen der Stoff.*

"Bu arada, Norwood davasıyla ilgili olarak, tahmin ettiğim gibi, evin içinden bir suç ortağı bulmuşlar, kâhya Lal Rao'nun ta kendisi; yani Jones aslında büyük ağıyla bir tane de olsa gerçek bir balık yakalamanın haklı gururunu yaşıyor."

*Ne yazıktır ki doğa seni sadece bir adam olarak yaratmış, aslında hem bir asil hem de bir serseri için yetecek malzeme mevcutmuş.

"Bu gururun neresi haklı," dedim. "Bütün meseleyi sen çözdün. Ben bu meseleden bir eş edindim, Jones da şöhret. Sana ne kaldı?"

"Benim için," dedi Sherlock Holmes, "hâlâ kokain şişesi var." Ve uzun, beyaz eliyle şişeye uzandı.